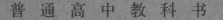

普通高中教科书

生物学

必修 1

分子与细胞

人民教育出版社　课程教材研究所
生物课程教材研究开发中心　| 编著 |

人民教育出版社
·北京·

主　　编：朱正威　赵占良

副 主 编：何奕骃

本册主编：温　青　谭永平

编写人员：（以姓氏笔画为序）

包春莹　吴成军　张　怡　林祖荣

夏献平　桑建利　温　青　谭永平

责任编辑：吴成军

美术编辑：王　喆

普通高中教科书　生物学　必修1　分子与细胞

人民教育出版社　课程教材研究所
生物课程教材研究开发中心　编著

出　　版	人民教育出版社
	（北京市海淀区中关村南大街 17 号院 1 号楼　邮编：100081）
网　　址	http://www.pep.com.cn
重　　印	山东出版传媒股份有限公司
发　　行	山东新华书店集团有限公司
印　　刷	山东新华印务有限公司
版　　次	2019 年 6 月第 1 版
印　　次	2022 年 6 月山东第 4 次印刷
开　　本	890 毫米×1240 毫米　1/16
印　　张	9
字　　数	210 千字
书　　号	ISBN 978-7-107-33627-0
定　　价	10.27 元(上光)

目　录

科学家访谈　探究微观生命世界的奥秘
　　　　——与施一公院士一席谈

第1章　走近细胞……………………………………………………1

第1节　细胞是生命活动的基本单位……………………………2

第2节　细胞的多样性和统一性…………………………………9

　　探究·实践　使用高倍显微镜观察几种细胞……………9

　　生物科技进展　人工合成生命的探索……………………12

第2章　组成细胞的分子……………………………………………15

第1节　细胞中的元素和化合物…………………………………16

　　探究·实践　检测生物组织中的糖类、脂肪和蛋白质……18

第2节　细胞中的无机物…………………………………………20

第3节　细胞中的糖类和脂质……………………………………23

第4节　蛋白质是生命活动的主要承担者………………………28

　　生物科学史话　世界上第一个人工合成蛋白质的诞生……33

第5节　核酸是遗传信息的携带者………………………………34

第3章 细胞的基本结构 ···········39

第1节 细胞膜的结构和功能 ···········40

第2节 细胞器之间的分工合作 ···········47

　　探究·实践 用高倍显微镜观察叶绿体和细胞质的流动 ····50

第3节 细胞核的结构和功能 ···········54

　　探究·实践 尝试制作真核细胞的三维结构模型 ···········57

　　生物科技进展 世界上首例体细胞克隆猴的诞生 ···········58

第4章 细胞的物质输入和输出 ···········61

第1节 被动运输 ···········62

　　探究·实践 探究植物细胞的吸水和失水 ···········64

　　生物科学史话 人类对通道蛋白的探索历程 ···········68

第2节 主动运输与胞吞、胞吐 ···········69

第5章 细胞的能量供应和利用 ···········75

第1节 降低化学反应活化能的酶 ···········76

　一 酶的作用和本质 ···········76

　　探究·实践 比较过氧化氢在不同条件下的分解 ···········77

　二 酶的特性 ···········81

　　探究·实践 淀粉酶对淀粉和蔗糖的水解作用 ···········81

探究·实践 影响酶活性的条件 ················ 82

科学·技术·社会 酶为生活添姿彩 ·············· 85

第2节 细胞的能量"货币"ATP ·············· 86

第3节 细胞呼吸的原理和应用 ·············· 90

探究·实践 探究酵母菌细胞呼吸的方式 ············ 90

第4节 光合作用与能量转化 ·············· 97

一 捕获光能的色素和结构 ·············· 97

探究·实践 绿叶中色素的提取和分离 ············ 98

二 光合作用的原理和应用 ·············· 102

探究·实践 探究环境因素对光合作用强度的影响 ········ 105

第6章 细胞的生命历程 ················ 109

第1节 细胞的增殖 ················ 110

探究·实践 观察根尖分生区组织细胞的有丝分裂 ········ 116

第2节 细胞的分化 ················ 118

科学·技术·社会 骨髓移植和中华骨髓库 ············ 122

第3节 细胞的衰老和死亡 ················ 123

生物科技进展 秀丽隐杆线虫与细胞凋亡研究 ·········· 127

与生物学有关的职业 病理科医师 ·············· 128

附录 生物学实验室的基本安全规则 ·············· 131

探究微观生命世界的奥秘

——与施一公院士一席谈

施一公

河南郑州人，世界著名的结构生物学家、中国科学院院士、美国科学院外籍院士、美国艺术与科学院外籍院士。主要研究细胞凋亡的分子机制、阿尔茨海默症发病机理以及包括 RNA 剪接体在内的细胞内大分子复合物的结构与功能，在其研究领域引领世界前沿。因细胞凋亡领域的研究成果获得瑞典皇家科学院颁发的爱明诺夫奖。

施一公院士非常关心基础教育。他在紧张繁忙的工作间隙接受了我们的采访。

问：2002 年，您才 35 岁，就成为美国普林斯顿大学分子生物学系最年轻的终身教授。2008 年，您放弃普林斯顿大学的优厚待遇和优越的科研条件，全职回到清华大学工作。您当时为什么选择回国工作呢？

答：我从小在河南农村长大，但我很幸运，接受了系统而良好的教育，并且遇到了改革开放的大时代，使我能够充分发挥自己的才能。如今，我衣食无忧，从事着自己热爱的科学研究，非常知足而感恩。在美国留学和工作的 18 个春秋里，我一直盼望着有机会回报家乡的父老乡亲，帮助那些不像我这么幸运的兄弟姐妹。全职回到我的母校清华大学，使我得以实现自己的梦想。我在清华最想做的事情就是育人，培养一批有理想、敢担当的年轻人，在他们可塑性还比较强的时候去影响他们，希望他们在提高专业素质、追求个人价值的同时，在内心深处清楚而坚定地意识到自己对于国家和民族义不容辞的责任，承担起中华民族实现强国梦之重任！

问：您从事生物学方面的科研和教学工作已经很多年了，您能简单说说生物学的发展状况和未来的前景吗？

答：目前，生物学已经能在分子水平上，利用定量的物理、化学等手段来研究基本的生命过程和重大疾病的分子基础，从根本上理解生命、促进健康。这在一百年前是不可想象的，这是人类理性和智慧的荣耀。当然，像所有基础学科一样，生物学也有大量激动人心的未解之谜等待我们去破解。在未来，需要更多不同学科背景的研究人员一起努力，揭开生命的奥秘。

问：您的研究领域是结构生物学，您能简单介绍什么是结构生物学，它有什么意义吗？

答：生老病死等生命过程在微观世界都

有其分子基础，DNA所承载的信息被传递到RNA和蛋白质，从而执行细胞丰富多彩的功能。结构生物学利用X射线晶体学、核磁共振和电子显微镜等手段，通过揭示生物大分子和超大分子复合物（分子机器）的高分辨率空间三维结构来解释其功能，不仅诠释生命过程的机理，也可以揭示药物靶点。目前，许多创新药物的研发都依赖于对其靶标蛋白结构的解析。其实，结构决定功能，这是所有物质科学的基本共识。从某种意义上来说，所有物质科学研究的目标都是理解结构，从而诠释功能和机理、找寻规律。结构生物学的研究因为与生命直接相关，它不仅能满足人类的好奇心，而且具有巨大的应用价值。可以说，结构生物学的研究对理解生命和促进人类健康具有十分重大的意义。

问：2015年，著名的《科学》(Science)杂志发表了您的研究组两篇具有里程碑意义的论文。这两篇论文宣布得到了高分辨率的剪接体三维结构和剪接体对前体信使RNA(核糖核酸)执行剪接的基本工作机理。您能谈谈这项研究成果吗？

答：在真核生物中，基因表达包括第一步——转录、第二步——加工（剪接）、第三步——翻译。目前，执行第一步的RNA聚合酶和第三步的核糖体的原子分辨率空间三维结构都已经获得解析，为我们理解遗传信息传递的这两个基本步骤奠定了基础。这两项结构生物学的工作已分别于2006年和2009年被授予诺贝尔化学奖。执行基因表达第二步的关键分子机器就是剪接体，其原子分辨率的结构解析因复杂性高、难度巨大，30多年来全世界许多一流实验室都在攻坚，却无突破。经过多年的努力，我领导的研究团队运用冷冻电子显微镜技术，于2015年首次解析了酵母菌剪接体高分辨率的空间三维结构，2016年又进一步捕捉到剪接体处于不同工作阶段的多个构象，揭示了前体信使RNA剪接的动态过程。这些研究进展对人类进一步理解生命、揭示与剪接体相关遗传病的发病机理提供了结构基础和理论指导。

问：您在研究过程中遇到过挫折和困难吗？您觉得做科学研究最重要的品格和能力有哪些？

答：科学研究很少有一帆风顺的，需要付出大量的心血和努力。我个人的研究经历也充满挫折。优秀的科学家都有各自独特的品格和能力，但也有一些共通之处。我认为至少要具备以下两点素质。一是时间的付出。所有成功的科学家一定具有的共同点，就是他们付出

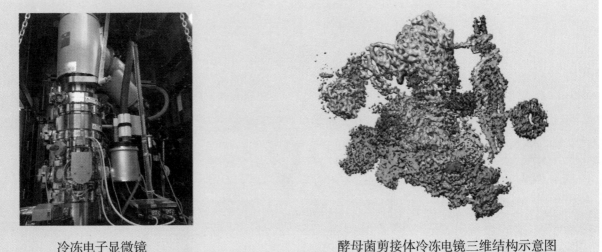

冷冻电子显微镜　　　　　　　　酵母菌剪接体冷冻电镜三维结构示意图

大量的时间和心血，科学探索之路没有捷径。二是批判性的思维方式。探索未知的科学研究尤其需要严密的逻辑，需要在实验研究中不断磨练、捕捉每一个可能出现的机会，同时还要敢于挑战学术权威，因此必须有批判性的思维。除此之外，性格因素也很重要，比如强大的心理素质。实验失败很常见，但又往往蕴藏着成功的契机。对与预期结果不符的实验进行正确分析，是一位优秀科学家必备的素质。

问：科学精神对于科学研究非常重要，那么，对于不做科研的人来说，也需要科学精神吗？

答：科学精神的本质就是求真，科学方法的训练使人拥有严密的逻辑和批判性的思维，避免人云亦云；科学研究要求过硬的心理素质，这些对于任何工作都是关键的品质。在这个意义上，科学精神对于我们每一个人都很重要。事实上，从我实验室毕业的学生中，有一些并没有继续从事尖端的科学研究，但他们由于在学生阶段受到科研工作的训练，培养了科学精神和科学思维习惯，在各自的岗位上都做得非常出色。

问：您对中学生如何学好生物学有什么建议吗？

答：生物学知识体系庞大而繁杂，简单了解的门槛低，但入门后掌握其精髓和获得"直觉"的门槛却非常高，甚至要比数学、物理这些严格依赖逻辑思维的学科的门槛还高。生物学又是一个非常广阔的领域，是一个很多研究手段都可以得到发挥的领域。因此，如果同学们对生物学研究感兴趣，那么需要在数学、物理、化学、计算机等学科有一定的基础，最好在其中的某个研究手段上有一些特长。比如我自己是1984年全国高中生数学联赛河南省第一名，大学还将数学作为第二专业学习，这些数学的特长在我的研究中也发挥了重要作用。另外，希望同学们不要满足于死记硬背枯燥的结论，而是要开动自己的大脑，弄清楚科学知识的来龙去脉，理解实验设计的逻辑，学会欣赏科学之美。

我最想对高中生说的话：

人类社会能有今天的高度文明和现代化，靠的是科学技术的发展和进步！高中阶段的学习内容包含了人类几百年来科学研究的结晶，希望同学们沉下心来安心学习，打好基础，培养对科学的兴趣，做一个有梦想、有定力、有益于社会的人！

2017 年 11 月

第1章
走近细胞

  2017年11月27日，世界上首个体细胞克隆猴在我国诞生！这是我国科学家历经五年攻关取得的重大突破。利用克隆技术可以得到许多在遗传上相同的克隆猴。猴与人在进化上亲缘关系很近，它比鼠更适合用作研究人类疾病和进行药物实验的模型动物；遗传上相同的克隆猴用于药物对照实验有利于更准确地评估药效。这一研究成果的确意义非凡。

  人类已经在生物学研究中取得了巨大的成就，然而，许多未解之谜还得回到细胞中去寻找答案。同样地，尽管我们已经对细胞有不少了解，还是有许多问题需要进一步探究，比如为什么单细胞生物能独立生活，而多细胞动植物必须依赖各种分化细胞的密切合作才能完成复杂的生命活动？为什么细胞的形态各异，但却有着大致相同的基本结构？为什么生命活动离不开细胞？

  让我们再次走近细胞，更深入地探索它的奥秘。

每一个生物科学问题的答案都必须在细胞中寻找。

——威尔逊（E. B. Wilson）

第1节
细胞是生命活动的基本单位

大熊猫和冷箭竹形态迥异，但它们生命活动的基本单位都是细胞。

大熊猫吃冷箭竹

讨论

1. 如果让你提供证据说明大熊猫和冷箭竹都是由细胞构成的，你将如何获取和提供证据？

2. 与同学相互评价各自的证据是否正确和充分。

◎ **本节聚焦**

● 细胞学说的内容是什么？有什么意义？

● 细胞学说的建立过程对你有哪些启示？

● 怎样理解细胞是基本的生命系统？

面对奇妙的自然界，人类天生就有无限的好奇心。层出不穷的"是怎样的？""为什么是这样？"等问题，吸引着人们去探究，科学因此而不断前进。

显微镜的发明使人类打开了微观世界的大门。借助显微镜，人们看到了一滴水中有许多肉眼看不见的小生物，看到了动物体和植物体中各种各样的细胞。随着观察的深入，新的问题也接踵而至：细胞与生物体的关系是怎样的？动物体和植物体细胞的一致性和差异性是怎样的？新细胞是如何产生的？生物体的生长和发育等生命活动与细胞有什么关系？这一系列问题吸引着人们进行更深入的探究，历时一百多年，终于作出了理论概括，形成了作为生物学重要基础的细胞学说。

细胞学说及其建立过程

细胞学说的建立者主要是两位德国科学家施莱登（M. J. Schleiden, 1804—1881）和施旺（T. Schwann, 1810—1882）（图1-1）。后人根据他们分别于1838年和1839年发表的研究结果进行整理并加以修正，综合为以下要点：

1. 细胞是一个有机体，一切动植物都由细胞发育而来，并由细胞和细胞产物所构成；

施莱登

施旺

▲ 图1-1 施莱登和施旺

2. 细胞是一个相对独立的单位，既有它自己的生命，又对与其他细胞共同组成的整体生命起作用；

3. 新细胞是由老细胞分裂产生的。

细胞学说的内容，现在看起来似乎是显而易见的，当时却经历了漫长而曲折的建立过程。

胡克绘制的木栓细胞图

胡克时代的显微镜

🔍 **思考·讨论**

分析细胞学说建立的过程

阅读和分析下面的资料，讨论相关问题，发表你的见解。

1. 从人体的解剖和观察入手——从器官到组织

人体是怎样构成的？这个问题首先引起了解剖学家的注意。1543年，比利时的维萨里（A. Vesalius）通过大量的尸体解剖研究，发表了巨著《人体构造》，揭示了人体在器官水平的结构。法国的比夏（M. F. X. Bichat）经过对器官的解剖观察，指出器官由低一层次的结构——组织构成。这对

维萨里解剖工作图

于人类认识生物个体的结构层次非常重要。

2. 显微观察资料的积累——认识细胞

1665 年，英国科学家罗伯特·胡克（R. Hooke）用显微镜观察植物的木栓组织，发现这些木栓组织由许多规则的小室组成，他把观察到的图像画了下来，并把"小室"称为cell——细胞。

之后，荷兰著名磨镜技师列文虎克（A. van Leeuwenhoek）用自制的显微镜，观察到不同形态的细菌、红细胞和精子等。意大

利的马尔比基（M. Malpighi）用显微镜广泛观察了动植物的微细结构，如细胞壁和细胞质。此后，虽然观察细胞所获得的资料不断增加，积累了较丰富的材料，但是，在长达170多年的历史中，人们对细胞及其与生物体的关系并没有进行科学的归纳和概括。

3. 科学观察和归纳概括的结合——形成理论

植物学家施莱登通过对花粉、胚珠和柱头组织的观察，发现这些组织都是由细胞构成的，而且细胞中都有细胞核。在此基础上，他进行了理论概括，提出了植物细胞学说，即植物体都是由细胞构成的，细胞是植物体的基本单位，新细胞从老细胞中产生。施莱登把他的研究成果告诉了动物学家施旺，施旺很感兴趣并大受启发，决意要证明植物界和动物界这"两大有机界最本质的联系"。施旺主要研究了动物细胞的形成机理和个体发育过程，他认为：动物体也是由细胞构成的，一切动物的个体发育过程，都是从受精卵这个单细胞开始的。为此，他发表了研究报告《关于动植物的结构及一致性的显微研究》。施旺还说："现在，我们已推倒

了分隔动植物界的巨大屏障。"

4. 细胞学说在修正中前进

新细胞如何由老细胞产生呢? 施莱登认为新细胞是从老细胞的细胞核中长出来的, 或者是在老细胞的细胞质中像结晶那样产生的。施莱登的朋友耐格里(K. Nageli)用显微镜观察了多种植物分生区新细胞的形成, 发现新细胞的产生原来是细胞分裂的结果。还有些学者观察了动物受精卵的分裂。在此基础上, 1858 年, 德国

魏尔肖在讲演

的魏尔肖(R. L. C. Virchow)总结出"细胞通过分裂产生新细胞"。他的名言是: "所有的细胞都来源于先前存在的细胞。"这个断言, 至今仍未被推翻。

讨论

1. 科学家是如何通过获得证据来说明动植物体由细胞构成这一结论的?

2. 施莱登和施旺只是观察了部分动植物的组织, 却归纳出"所有的动植物都是由细胞构成的"。这一结论可信吗? 为什么? 这一结论对生物学研究有什么意义?

3. "所有的细胞都来源于先前存在的细胞", 这是否暗示着你身体的每个细胞都凝聚着漫长的进化史? 细胞学说主要阐明了细胞的多样性还是生物界的统一性?

4. 通过分析细胞学说建立的过程, 你领悟到科学发现具有哪些特点?

学科交叉 ∞∞∞∞∞∞∞∞∞∞∞∞∞∞∞∞

与化学的联系

1803 年, 英国化学家道尔顿提出: 物质是由不可再分的基本微粒——原子所组成的。原子也是化学作用的最小单位, 在一切化学反应中保持不变。他的原子论为许多化学现象提供了清晰的理论解释, 对化学的发展起到了奠基作用。

知识链接 ≪≪≪≪≪≪≪≪≪≪≪≪≪≪

关于进化论的具体内容, 详见必修2《遗传与进化》第6章。

细胞学说揭示了动物和植物的统一性, 从而阐明了生物界的统一性。就像原子论之于化学一样, 细胞学说对于生物学的发展具有重大的意义。

细胞学说使人们认识到植物和动物有着共同的结构基础, 从而在思想观念上打破了在植物学和动物学之间横亘已久的壁垒, 也促使积累已久的解剖学、生理学、胚胎学等学科获得了共同的基础, 这些学科的融通和统一催生了生物学的问世。

细胞学说中关于细胞是生命活动基本单位的观点, 使人们认识到生物的生长、生殖、发育及各种生理现象的奥秘都需要到细胞中去寻找, 生物学的研究随之由器官、组织水平进入细胞水平, 并为后来进入分子水平打下基础。

细胞学说中细胞分裂产生新细胞的结论, 不仅解释了个体发育, 也为后来生物进化论的确立埋下了伏笔。新细胞由老细胞产生, 老细胞由更老的细胞产生, 如此上溯, 现代生物的细胞都是远古生物细胞的后代, 小小的细胞内

部，凝聚着数十亿年基因的继承和改变。每个细胞，每个生物，都是历史的产物。被恩格斯列入19世纪自然科学三大发现的细胞学说和进化论，作为生物学大厦的基石，赋予生物学不同于其他自然科学的独特韵味。

🔆 **科学方法**

归纳法

归纳法是指由一系列具体事实推出一般结论的思维方法。例如，从观察到植物的花粉、胚珠、柱头等的细胞都有细胞核，得出植物细胞都有细胞核这一结论，运用的就是归纳法。归纳法分为完全归纳法和不完全归纳法。根据部分植物细胞都有细胞核而得出植物细胞都有细胞核这一结论，实际上就是运用了不完全归纳法。如果观察了所有类型的植物细胞，并发现它们都有细胞核，才得出植物细胞都有细胞核的结论，就是完全归纳法。科学研究中经常运用不完全归纳法。由不完全归纳得出的结论很可能是可信的，因此可以用来预测和判断，不过，也需要注意存在例外的可能。

细胞是基本的生命系统

正如施旺所说：每个细胞都相对独立地生活着，但同时又从属于有机体的整体功能。单细胞生物能够独立完成生命活动，多细胞生物依赖各种分化的细胞密切合作，共同完成一系列复杂的生命活动。例如，缩手反射就是由一系列不同的细胞共同参与完成的比较复杂的生命活动（图1-2）。事实上，动植物以细胞代谢为基础的各种生理活动，以细胞增殖、分化为基础的生长发育，以细胞内基因的传递和变化为基础的遗传与变异，等等，都说明细胞是生命活动的基本单位，生命活动离不开细胞。

小小的细胞为什么具有如此强大的功能呢？细胞虽小，但其结构却复杂而精巧。本书的后续章节将向你展示，细胞是一个由各种组分相互配合而组成的复杂的系统。细胞是有生命的，是一个生命系统。

在多细胞生物体内，细胞又是构成组织的组分，组织是构成器官的组分，器官是构成个体的组分。组织、器官、个体都是有生命活动的整体，因此是不同层次的生命系统。

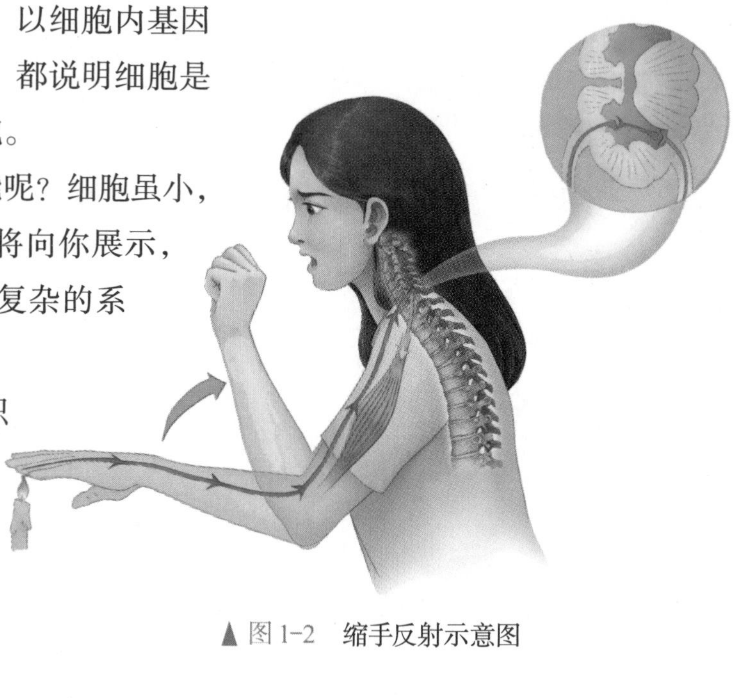

相关信息

系统是指彼此间相互作用、相互依赖的组分有规律地结合而形成的整体。比如，你的身体是由许多器官在结构上相互联系、在功能上相互配合而形成的整体，因此可以看作一个系统。

▲ 图1-2 缩手反射示意图

在自然界，生物个体都不是单独存在的，而是与其他同种和不同种的个体以及无机环境相互依赖、相互影响的。在一定的空间范围内，同种生物的所有个体形成一个整体——种群，不同种群相互作用形成更大的整体——群落，群落与无机环境相互作用形成更大的整体——生态系统，地球上所有的生态系统相互关联构成更大的整体——生物圈。可见，自然界从生物个体到生物圈，可以看作各个层次的生命系统（图1-3）。

叶的表皮细胞

心肌
（肌肉组织）

心肌细胞

叶的保护组织
众多表皮细胞紧密排列、覆盖在叶片表面，形成叶片的上表皮和下表皮，起保护叶片内部其他组织的作用。

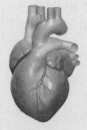

心脏（器官）
构成心脏的组织有肌肉组织、神经组织、结缔组织等。

叶（器官）
构成叶的组织有保护组织、输导组织、营养组织等。

血液循环系统
血液循环系统由心脏、血管等器官组成。

冷箭竹（个体）
叶与根、茎等器官共同构成冷箭竹个体。

大熊猫（个体）
熊猫的身体由循环、消化、运动、泌尿等系统组成。

▲ 图1-3　生命系统的结构层次模式图

一个分子或一个原子，也是一个系统吗？如果是，它们是不是生命系统？如果不是，请说明理由。

在一定的区域内，所有的大熊猫个体形成了一个种群，所有的冷箭竹也是一个种群；在同一区域内，大熊猫、冷箭竹和其他生物一起共同形成了一个群落；这个群落和它们所生活的无机环境相互关联，形成了一个统一的整体，这就是生态系统。

生物圈

种群、群落和生态系统

🔍 **思考·讨论**

从细胞的视角看生命世界

请结合图1-3，分析讨论以下问题。

1. 叶的表皮细胞和心肌细胞各有什么功能？

2. 冷箭竹的光合作用是在哪些细胞中进行的？大熊猫的血液运输氧的功能是靠哪种细胞完成的？

3. 大熊猫和冷箭竹繁殖后代关键是靠什么细胞？

4. 生物圈的碳氧平衡是不是与地球上所有生物细胞的生命活动都有关系？为什么？

知识链接 ﹀﹀﹀﹀﹀﹀﹀﹀﹀﹀﹀﹀﹀﹀

关于生态系统的能量流动和物质循环，详见选择性必修2《生物与环境》。

审视各层次生命系统的关系，我们发现，无论从结构上还是功能上看，细胞这个生命系统都属于最基本的层次。各层次生命系统的形成、维持和运转都是以细胞为基础的，就连生态系统的能量流动和物质循环也不例外。因此，可以说细胞是基本的生命系统。本书将带你在这个生命系统中畅游，了解它的组成、运转和发展变化的规律。

练习与应用

一、概念检测

1. 判断下列事实或证据是否支持细胞是生命活动的基本单位。

（1）草履虫是单细胞生物，能进行运动和分裂。（　）

（2）人体发育离不开细胞的分裂和分化。（　）

（3）离体的叶绿体在一定的条件下能释放氧气。（　）

（4）用手抓握物体需要一系列神经细胞和肌肉细胞的协调配合。（　）

2. 下列叙述与细胞学说不相符的是（　）

A. 植物和动物都是由细胞构成的，这反映了生物界的统一性

B. 植物和动物有着共同的结构基础

C. 人体每个细胞都能单独完成各项生命活动

D. 新细胞是通过已存在的细胞分裂产生的

3. 观察人体皮肤纵切片和迎春叶横切片的光学显微镜图像，回答问题。

（1）在两张切片的图像中，尽可能多地写出你认识的细胞名称以及它们可能的功能。

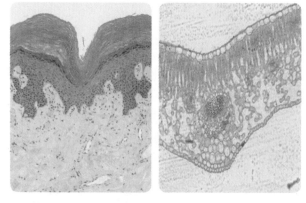

人体皮肤纵切（局部）　　迎春叶横切（局部）

（2）比较动物细胞和植物细胞，描述它们的共同点和区别。

（3）为什么把人体皮肤和迎春叶都称为器官？

二、拓展应用

1. 某同学在显微镜下观察了菠菜、天竺葵、柳树叶片中的叶肉细胞，发现这些叶肉细胞中都有叶绿体，于是得出了植物叶肉细胞都有叶绿体的结论。他得出这个结论应用了不完全归纳法。你还能列举不完全归纳法其他应用的例子吗？在使用这种方法时，要注意什么问题？

2. 病毒没有细胞结构，一般由核酸和蛋白质组成。但是，病毒的生活离不开细胞，请查阅资料，说明病毒的生活为什么离不开细胞。

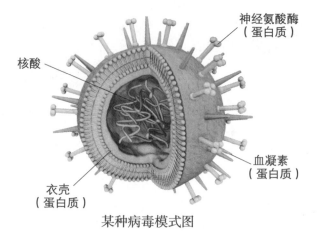

某种病毒模式图

3. 如果"新细胞都是从老细胞中产生的"不成立，细胞一直可以从无机环境中自然发生，生物进化的观点还能被人们普遍接受吗？请用自己的语言简要阐述细胞学说是否支持生物进化的观点。

第2节
细胞的多样性和统一性

看看右图中的四张照片，是否似曾相识？这些细胞都是你在初中生物实验课上观察过的。

讨论

1. 图中共有几种细胞？它们的名称分别是什么？有哪些共同的结构？

2. 请举一两个例子，说说不同种类细胞的形态结构不同的原因。

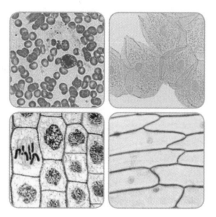

光学显微镜下的几种细胞

通过回忆和讨论，你已经初步认识了细胞的多样性和统一性。在初中阶段，通常都是用光学显微镜的低倍镜来观察细胞的，而且观察的材料有限。现在，让我们尝试用高倍镜来观察更多种类的细胞。

观察细胞

◎ **本节聚焦** ————

● 怎样使用高倍显微镜？

● 原核细胞与真核细胞的区别是什么？

● 怎样理解细胞既有多样性又有统一性？

🔬 探究·实践

使用高倍显微镜观察几种细胞

目的要求

1. 使用高倍显微镜观察几种细胞，比较不同细胞的异同点。

2. 运用制作临时装片的方法。

材料用具

1. 建议选用的观察材料:真菌（如酵母菌）细胞，低等植物（如水绵等丝状绿藻）细胞，高等植物细胞（如叶的保卫细胞），动物细胞（如鱼的红细胞）。以上这些材料，做成临时装片后就可以观察。也可以使用其他替代材料。

2. 还可以观察人体的上皮组织、结缔

组织、肌肉组织、神经组织的切片，血涂片和植物叶片结构的永久切片。

3. 显微镜，载玻片，盖玻片，镊子，滴管，清水，生理盐水。如果实验过程中需要染色，应准备常用的染色液。

方法步骤

1. 根据光学显微镜的构造和原理，以及使用低倍镜观察积累的经验，提出使用高倍镜的方法步骤和注意事项。

2. 小组成员分别制作不同材料的临时装片。

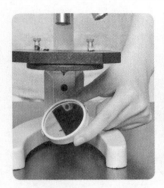
① 转动反光镜使视野明亮。

② 在低倍镜下观察清楚后，把要放大观察的物像移至视野中央。

③ 转动转换器，换成高倍物镜。

④ 用细准焦螺旋调焦并观察。

3. 在观察临时装片时，由完成制片的同学调试显微镜，该同学观察后再换其他同学观察。

4. 观察永久切片和血涂片。

讨论

1. 使用高倍镜观察的步骤和要点是什么？

2. 归纳所观察到的细胞在结构上的共同点，并描述它们之间的差异，分析产生差异的可能原因。

3. 下图是大肠杆菌的电镜照片，你在本实验中观察到的细胞与大肠杆菌有什么主要区别？

大肠杆菌扫描电镜照片（放大 10 000 倍）

大肠杆菌透射电镜照片（放大 12 000 倍）

原核细胞和真核细胞

通过显微镜观察了解了细胞的多样性，同时也看到细胞都有相似的基本结构，如细胞膜、细胞质和细胞核，这反映了细胞的统一性。

有一类细胞没有成形的细胞核，如大肠杆菌和其他细菌细胞。科学家根据细胞内有无以核膜为界限的细胞核，把细胞分为真核细胞（eukaryotic cell）和原核细胞（prokaryotic cell）两大类。由真核细胞构成的生物叫作真核生物，如植物、动物、真菌等。由原核细胞构成的生物叫作原核生物。

原核生物主要是分布广泛的各种细菌。有一类细菌叫作蓝细菌（旧称蓝藻，图1-4），你见过它们吗？蓝细菌的

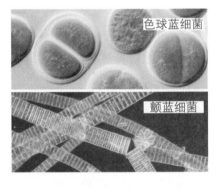

色球蓝细菌

颤蓝细菌

念珠蓝细菌

▲ 图1-4 几种蓝细菌

细胞比其他的细菌大，大多数细菌的直径为0.5~5.0 μm，蓝细菌细胞的直径约为10 μm，有的甚至可以达到70 μm，如颤蓝细菌。一般来说，我们用肉眼是分辨不清蓝细菌的，但是当它们以细胞群体的形式存在时，你可能见过。淡水水域污染后富营养化，导致蓝细菌和绿藻等大量繁殖，会形成让人讨厌的水华（图1-5），影响水质和水生动物的生活。

▲ 图1-5　池塘中的水华

△ **与社会的联系**　发菜也属于蓝细菌，细胞群体呈黑蓝色，状如发丝，在我国多产于西北草地和荒漠。因发菜和"发财"谐音，有人争相食之，过度采挖破坏了生态。我国已将发菜列为国家一级重点保护生物，予以保护。

蓝细菌细胞内含有藻蓝素和叶绿素，是能进行光合作用的自养生物。细菌中的多数种类是营腐生或寄生生活的异养生物。细菌的细胞都有细胞壁、细胞膜和细胞质，都没有由核膜包被的细胞核，也没有染色体，但有环状的DNA分子，位于细胞内特定的区域，这个区域叫作拟核（图1-6）。

至此，我们对细胞的多样性又有了进一步的认识：真核细胞多种多样，原核细胞多种多样，而真核细胞和原核细胞又不一样。

原核细胞和真核细胞具有相似的细胞膜和细胞质，它们都以DNA作为遗传物质，这让我们再一次看到了原核细胞和真核细胞的统一性。

❓你如何解读"原核细胞"和"真核细胞"中的"原"字和"真"字？据此推测原核生物和真核生物在进化上的联系。

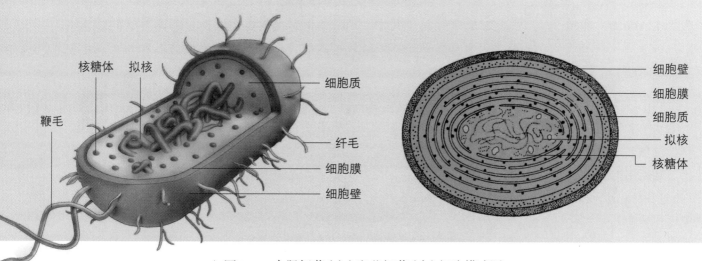

▲ 图1-6　大肠杆菌（左）和蓝细菌（右）细胞模式图

一、概念检测

1. 基于对原核生物和真核生物的理解，判断下列表述是否正确。

（1）真菌和细菌是原核生物。　　　（　）

（2）原核生物中既有自养生物，又有异养生物。　　　（　）

（3）原核生物是单细胞生物，真核生物既有单细胞生物也有多细胞生物。　　　（　）

2. 草履虫、衣藻、变形虫和细菌都是单细胞生物。尽管它们的大小和形状各不相同，但它们都有相似的结构，即都具有　　　（　）

A. 细胞膜、细胞质、细胞核、液泡

B. 细胞壁、细胞膜、细胞质、细胞核

C. 细胞膜、细胞质、细胞核、染色体

D. 细胞膜、细胞质、储存遗传物质的场所

3. 根瘤菌（属于细菌）与豆科植物共生形成根瘤。在对根瘤菌进行分离时，如何根据细胞的形态结构特点，来区分根瘤菌细胞与植物细胞？

二、拓展应用

1. 细胞虽然形态多种多样，但是基本结构具有高度的统一性。细胞为什么会有统一性？细胞的多样性又是怎样产生的？

2. 支原体肺炎是一种常见的传染病，其病原体是一种称为肺炎支原体的单细胞生物（见下图），请据图分析回答。

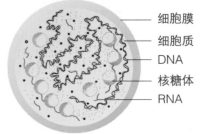

支原体结构模式图

（1）支原体与动物细胞的结构有什么区别？

（2）支原体与细菌的细胞结构有什么区别？

（3）支原体是真核生物还是原核生物？

⊗ **生物科技进展**

人工合成生命的探索

生命如此神奇！那么，能不能人工合成生命呢？很多人想知道答案。科学家首先以简单的单细胞生物为研究对象展开探索。

支原体可能是最小、最简单的单细胞生物。20世纪90年代，美国科学家文特尔（C.Venter，1946—　）领导的小组研究了某种支原体的基因，从中筛选出生命活动必不可少的300多个基因，并进行人工合成。他们将人工合成的这些基因进行拼接、处理，注入去掉DNA的支原体细胞中，组成一个新的细胞。这样的新细胞具有进行基本生命活动的能力和繁殖能力。

支原体是原核生物。能不能人工合成真核生物的基因，并使之表现出生物活性呢？

2014年，科学家对酿酒酵母的一条染色体进行了重新设计和人工合成。2017年3月，科学家宣布人工合成了5条酿酒酵母染色体，其中4条是由我国科学家完成的。2018年8月，我国科学家宣布，他们对酿酒酵母的16条染色体进行了研究，重新设计并人工合成为1条染色体，这1条染色体就可以执行16条染色体的功能。将这条染色体移植到去核的酿酒酵母细胞后，细胞依然能够存活，并表现出相应的生命特性。这是国际上首次人工创建单条染色体的真核细胞。这项研究成果是合成生物学领域一项里程碑式的突破。

我国科学家合成的酿酒酵母染色体模型

想一想，人工合成生命的研究有什么意义？上述研究成果是否标志着人工合成生命的设想已经实现？你赞成进行这方面的研究吗？

本章小结

理解概念

● 除病毒以外，生物体都是以细胞作为结构和功能的基本单位，生命活动离不开细胞。

● 细胞有着相似的基本结构，如细胞膜、细胞质等。但是，不同生物的细胞结构又有差别。

● 细胞是多种多样的，总体上可以分为真核细胞和原核细胞两大类，它们的主要区别是有无以核膜包被的细胞核。

● 在同一个多细胞生物体内，由于细胞结构和功能的分化，细胞也呈现多样性。多种多样的细胞都有共同的结构模式：有细胞膜、细胞质、遗传物质集中存在的区域（细胞核或拟核），这说明细胞的统一性。细胞的统一性可以用细胞学说中"新细胞由老细胞分裂产生"的观点来解释，这也是生物界的统一性的基础。

● 细胞学说阐明了动植物都是由细胞构成的，并且都以细胞为生命活动的基本单位。基于这一结论，人们认识到生物界也具有统一性，这对于人们深入认识生物的结构、生理、发育以及遗传和进化都有着重大的意义。

● 从系统的视角看生命世界，细胞、组织、器官（系统）、个体、种群、群落、生态系统、生物圈，是不同层次的生命系统。由于细胞是生命活动的基本单位，各层次生命系统的形成、维系和运转都是以细胞为基础的，因此细胞是基本的生命系统。生物科学要研究各个层次的生命系统及其相互关系，首先要研究细胞。

发展素养

通过本章的学习，应在以下几方面得到发展。

● 阐明细胞的多样性与统一性，进而认同生物界的多样性与统一性，感受大自然的神奇与美丽。

● 初步建立系统的观念，尝试以系统观认识生命世界。

● 通过分析细胞学说建立的过程，认同科学发现的基本特点：重视观察与实证，需要归纳和概括；科学的发现依赖于技术的进步；科学理论的建立往往要经历不断修正完善的过程。能够在今后的学习和探究中不断深化这些认识，并以此指导自己的探究，审视他人的研究过程和结论。

复习与提高

一、选择题

1. 细胞学说为生物学的发展起到了奠基的作用，主要原因是它揭示了 （ ）

　A. 植物细胞与动物细胞的区别

　B. 原核细胞和真核细胞的区别

　C. 生物体结构的统一性

　D. 生物界细胞的多样性

2. 判断沙眼衣原体是原核生物的主要依据是 （ ）

　A. 有细胞壁　　B. 有细胞膜

　C. 没有线粒体　D. 没有以核膜包被的细胞核

3. 生命系统存在着从细胞到生物圈各个不同的结构层次。下列相关叙述错误的是 （ ）

　A. 细胞是基本的生命系统

　B. 草履虫可以看作是基本的生命系统

　C. 植物体和动物体共有的生命系统层次有细胞、组织、器官、个体

　D. 生态系统中存在非生命的物质和成分，不属于生命系统

4. 细胞是生物体的基本结构和功能单位。下列有关细胞的叙述，正确的是 （ ）

　A. 原核细胞结构简单，所以不具有多样性

　B. 原核细胞与真核细胞之间不具有统一性

　C. 除病毒外，生物体都是由细胞构成的

　D. 新细胞是从老细胞的细胞核中产生的

二、非选择题

1. 画概念图

分析下图，在"？"处填写适当的连接词。

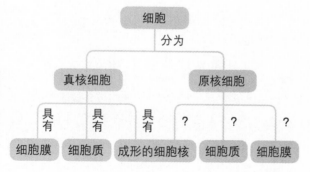

2. 下图是人们常见的几种单细胞生物，据图回答下面的问题。

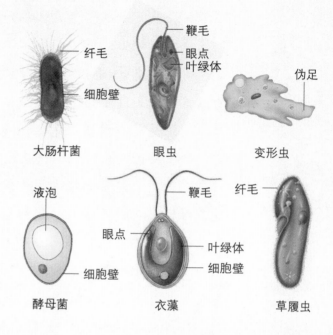

大肠杆菌　　　　眼虫　　　　　变形虫

酵母菌　　　　衣藻　　　　　草履虫

（1）这几种生物共有的结构是_____。

（2）与绿色开花植物细胞的结构和功能类似的生物是_____，你判断的依据是_____；与哺乳动物细胞的结构和功能类似的生物是_____，你判断的依据是_____。

（3）眼虫与植物和动物都有相同之处，从进化的角度看，你认为合理的解释是_____

_____。

3. 2002 年 7 月 12 日，美国《科学快报》报道了纽约州立大学几位病毒学家人工合成脊髓灰质炎（俗称小儿麻痹症）病毒的消息和简略的研究过程。用人工合成的病毒感染小鼠的实验证明，人工合成的病毒能够引发小鼠脊髓灰质炎，只是毒性比天然病毒小得多。

回答下列问题。

（1）人工合成脊髓灰质炎病毒，是否就是人工制造了生命？

（2）人工合成病毒的研究，应该肯定还是应该否定？为什么？

第2章
组成细胞的分子

　　雕刻的石像无论多么栩栩如生，人们也不会认为它是生物。生物体是由细胞构成的，石头当然不是。细胞和石头都是由分子组成的，为什么细胞能表现出生命的特征呢？是因为细胞内有什么非物质的"活力"因素吗？是细胞里含有特殊的"生命元素"吗？是组成细胞的分子有什么特殊之处吗？

　　研究组成细胞的分子，实际上就是在探寻生命的物质基础，帮助我们建立科学的生命观。

　　阐明生命现象的规律，必须建立在
阐明生物大分子结构的基础上。
　　　　　　——中国科学院院士邹承鲁

第1节
细胞中的元素和化合物

组成地壳和组成细胞的部分
元素含量（%）表

元素	地壳	细胞
O	48.60	65.0
Si	26.30	极少*
C	0.087	18.0
N	0.03	3.0
H	0.76	10.0

💬 问题探讨

比较组成地壳和组成细胞的部分元素的含量，你能提出什么问题？就自己提出的问题与其他同学交流。

* Si在某些植物细胞中含量较多，如硅藻、禾本科植物。

◎ 本节聚焦

● 细胞中常见的元素有哪些？

● 组成细胞的主要化合物有哪些？

● 怎样检测生物组织中的糖类、脂肪和蛋白质？

生物体总是和外界环境进行着物质交换，细胞生命活动所需要的物质，归根结底是从无机自然界中获取的。因此，组成细胞的化学元素，在无机自然界中都能够找到，没有一种化学元素为细胞所特有。但是，细胞中各种元素的相对含量与无机自然界的大不相同。

组成细胞的元素

组成细胞的化学元素，常见的有20多种，其中有些含量多，有些含量很少。

💡 思考·讨论

玉米细胞和人体细胞的部分元素
及含量（干重，质量分数）

元素	玉米细胞	人体细胞
C	43.57	55.99
H	6.24	7.46
O	44.43	14.62
N	1.46	9.33
K	0.92	1.09
Ca	0.23	4.67
P	0.20	3.11
Mg	0.18	0.16
S	0.17	0.78

注：其他元素占细胞干重的质量分数
总计小于3%

比较组成玉米细胞和人体细胞的元素及含量

左表是玉米细胞和人体细胞内含量较多的化学元素的种类及其含量。要分析细胞中各种元素及含量是非常复杂的事情，因此，呈现出来的数据一般都是大概的。

讨论

1. 在玉米细胞和人体细胞中含量较多的四种元素一样吗？怎样解释这种现象？

2. 细胞中有些元素含量很少，是否意味着它们不重要？

3. 比较组成玉米细胞和人体细胞中的元素种类和含量，你还能得出哪些结论？

细胞中常见的化学元素中，含量较多的有C、H、O、N、P、S、K、Ca、Mg等元素，称为大量元素（macroelement）；有些元素含量很少，如Fe、Mn、Zn、Cu、B、Mo等，称为微量元素（microelement）。由上表中的数据可以看出，组成细胞的元素中，C、H、O、N这四种元素的含量很高，其原因与组成细胞的化合物有关。

知识链接 <<<<<<<<<<<<<<<<<<<<<<<<<<<<

关于Ca、Mg、Fe等元素的作用，详见本章第2节。

组成细胞的化合物

组成细胞的各种元素大多以化合物的形式存在，如水、蛋白质、核酸、糖类、脂质，等等。

请参阅下图（图2-1），了解组成细胞的主要化合物及其相对含量。

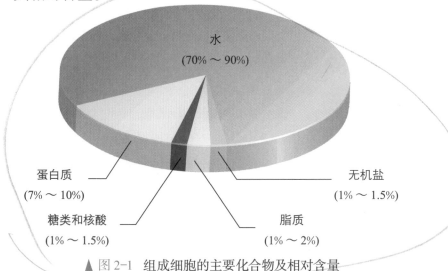

水
(70% ～ 90%)

蛋白质
(7% ～ 10%)

糖类和核酸
(1% ～ 1.5%)

脂质
(1% ～ 2%)

无机盐
(1% ～ 1.5%)

▲ 图2-1　组成细胞的主要化合物及相对含量

通过上图可以看出，细胞内含量最多的化合物是水，含量最多的有机化合物是蛋白质，通过后续章节的学习，你能对此作出详细的解释。

上图中的数据是基于大量不同种类细胞的统计结果，实际上，不同生物组织的细胞中各种化合物的含量是有差别的，有的还相差悬殊呢！

我们平常吃的食物也是如此。正因为不同食物中营养物质的种类和含量有很大差别，我们才需要在日常膳食中做到不同食物的合理搭配，以满足机体的营养需要。我们的食物来自各种生物组织。那么，怎样检测不同生物组织中的营养物质呢？通过下面的探究实践，你可以尝试检测不同生物组织中的糖类、脂肪和蛋白质。

梨的果实和叶片的细胞中所含化合物的种类和含量有什么明显的差别？

检测生物组织中的糖类、脂肪和蛋白质

某些化学试剂能够使生物组织中的相关化合物产生特定的颜色反应。糖类中的还原糖，如葡萄糖，与斐林试剂发生作用，生成砖红色沉淀。脂肪可以被苏丹Ⅲ染液染成橘黄色。蛋白质与双缩脲试剂发生作用，产生紫色反应。因此，可以根据有机物与某些化学试剂所产生的颜色反应，检测生物组织中糖类、脂肪或蛋白质的存在。

目的要求

尝试用化学试剂检测生物组织中的糖类、脂肪或蛋白质。

材料用具

1. 实验材料：梨匀浆，葡萄匀浆，白萝卜匀浆，花生种子，豆浆，鲜肝提取液，鸡蛋清稀释液。

2. 仪器：刀片，试管（最好是刻度试管），试管架，试管夹，大、小烧杯，小量筒，滴管，酒精灯，三脚架，陶土网（作为石棉网的替代品），火柴，载玻片，盖玻片，毛笔，吸水纸，显微镜等。

3. 试剂：斐林试剂（甲液：质量浓度为 0.1 g/mL 的 NaOH 溶液，乙液：质量浓度为 0.05 g/mL 的 $CuSO_4$ 溶液），质量浓度为 0.01 g/mL 的苏丹Ⅲ染液，双缩脲试剂（A 液：质量浓度为 0.1 g/mL 的 NaOH 溶液，B 液：质量浓度为 0.01 g/mL 的 $CuSO_4$ 溶液），体积分数为 50% 的酒精溶液，蒸馏水。

方法步骤

1. 实验材料、仪器和试剂的选择

每小组从教师提供的实验材料中选择一两种，预测其中含有哪些有机化合物，再选择所需要的仪器和试剂。

2. 设计记录表格，记录预测结果，然后按照实验步骤进行检测，用"+"或"-"记录实测结果。

3. 检测的方法步骤

（1）还原糖的检测和观察

①向试管内注入 2 mL 待测组织样液。

②向试管内注入 1 mL 斐林试剂（甲液和乙液等量混合均匀后再注入）。

③将试管放入盛有 50~65 ℃温水的大烧杯中加热约 2 min。

④观察试管中出现的颜色变化。

（2）脂肪的检测和观察

练习与应用

一、概念检测

1. 基于对细胞元素组成、元素含量等的认识，判断下列相关表述是否正确。

（1）细胞中不存在无机自然界没有的特殊元素。　　　　　　　　　　　　　（　）

（2）细胞中微量元素含量很少，作用也很微小。　　　　　　　　　　　　（　）

（3）不同种类的细胞其组成元素和化合物种类基本相同，但含量又往往有一定差异，这既体现了细胞的统一性，又反映了细胞的多样性。（　）

2. 将下列试剂与相应的待测样品、相应的实验结果用线连接起来。

苏丹Ⅲ染液	豆浆	砖红色沉淀
斐林试剂	梨汁	橘黄色
双缩脲试剂	花生子叶	紫色

3. 在下列有机化合物中，人体细胞内含量最

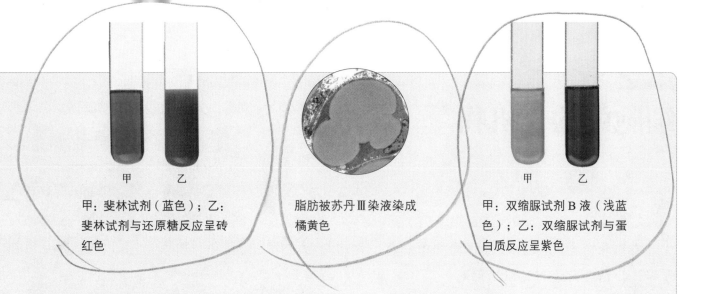

甲：斐林试剂（蓝色）；乙：斐林试剂与还原糖反应呈砖红色

脂肪被苏丹Ⅲ染液染成橘黄色

甲：双缩脲试剂B液（浅蓝色）；乙：双缩脲试剂与蛋白质反应呈紫色

制作花生子叶临时切片，用显微镜观察子叶细胞的着色情况。

取材：取一粒浸泡过的花生种子，去掉种皮。

切片：用刀片在花生子叶的横断面上平行切下若干薄片，放入盛有清水的培养皿中待用。

制片：从培养皿中选取最薄的切片，用毛笔蘸取放在载玻片中央；在花生子叶薄片上滴2~3滴苏丹Ⅲ染液，染色3 min；用吸水纸吸去染液，再滴加1~2滴体积分数为50%的酒精溶液，洗去浮色；用吸水纸吸去花生子叶周围的酒精，滴一滴蒸馏水，盖上盖玻片，制成临时装片。

观察：在低倍镜下找到花生子叶的最薄处，移到视野中央，将物像调节清晰；换高倍镜观察，视野中被染成橘黄色的脂肪颗粒清晰可见。

（3）蛋白质的检测和观察

①向试管内注入待测组织样液2 mL。

②向试管内注入双缩脲试剂A液1 mL，摇匀。

③向试管内注入双缩脲试剂B液4滴，摇匀。

④观察组织样液颜色的变化。

讨论

1. 你的预测与实测结果是否一致？

2. 小组间交流实验结果。你有什么发现？

3. 全班共检测了多少种生物材料？这些生物材料中有机化合物的种类、含量一样吗？这对我们选择食物有什么启发？

多的一种是　　　　　　　　　　（　）

A. 脂质　B. 糖类　C. 蛋白质　D. 核酸

4. 科学家在研究生物体的化学成分时，发现组成生物体的元素在无机自然界中也都存在，这一事实主要说明　　　　　　　　（　）

A. 生物来源于非生物

B. 生物界与无机自然界具有统一性

C. 生物界与无机自然界具有差异性

D. 生物与非生物在元素组成上没有区别

二、拓展应用

1. 组成细胞的元素追根溯源来自无机环境，为什么细胞内各种元素的比例与无机环境的大不相同？

2. 将细胞内含有的各种物质配齐，并按照它们在细胞中的比例放在一个试管中，能构成一个生命系统吗？为什么？

第2节
细胞中的无机物

运动员饮料的化学成分表

成分	质量浓度/(g·L^{-1})
蔗糖	30
其他糖类	10
柠檬酸	10
柠檬香精	0.8
氯化钠	1.0
氯化钾	0.1
磷酸二氢钠	0.1
磷酸二氢钾	0.1
碳酸氢钠	0.1

问题探讨

右侧是某种运动员饮料的化学成分表。请回忆初中所学知识，结合此表讨论以下问题。

讨论

1. 喝饮料主要是给身体补充水。水在细胞中起什么作用？

2. 表中哪些成分属于无机盐？为什么要在运动员喝的饮料中添加无机盐？无机盐在细胞的生活中起什么作用？

细胞中的水

人们普遍认为，地球上最早的生命孕育在海洋中，生命从一开始就离不开水。远古的环境条件给生物的化学组成和特性烙上了永久的印记。现在的生物，包括生活在陆地上的生物也与水密不可分。每当你感到渴时，你都能体会到生命对水的依赖。生物体的含水量随着生物种类的不同有所差别，一般为60%~95%，水母的含水量达到97%。水是构成细胞的重要成分，也是活细胞中含量最多的化合物。

水是细胞内良好的溶剂，许多种物质能够在水中溶解；细胞内的许多生物化学反应也都需要水的参与。多细胞生物体的绝大多数细胞，必须浸润在以水为基础的液体环境中。水在生物体内的流动，可以把营养物质运送到各个细胞，同时也把各个细胞在新陈代谢中产生的废物运送到排泄器官或者直接排出体外。

水为什么能成为细胞内良好的溶剂呢？它又为什么具有支持生命的独特性质呢？这是由它的分子结构决定的。

水分子由2个氢原子和1个氧原子构成，氢原子以共用电子对与氧原子结合。由于氧具有比氢更强的吸引共用电子的能力，使氧的一端稍带负电荷，氢的一端稍带正电荷。水分子的空间结构及电子的不对称分布，使水分子成为一个极性分子。带有正电荷或负电荷的分子（或离子）都容易与水结

本节聚焦

- 水在细胞中以什么形式存在？具有哪些重要作用？
- 为什么细胞中的无机盐含量很少，作用却很重要？

学科交叉

关于氢原子和氧原子的结构，请参阅化学教科书。

合，因此，水是良好的溶剂。

由于水分子的极性，当一个水分子的氧端（负电性区）靠近另一个水分子的氢端（正电性区）时，它们之间的静电吸引作用就形成一种弱的引力，这种弱的引力称为氢键。每个水分子可以与周围水分子靠氢键相互作用在一起。氢键比较弱，易被破坏，只能维持极短时间，这样氢键不断地断裂，又不断地形成，使水在常温下能够维持液体状态，具有流动性。同时，由于氢键的存在，水具有较高的比热容，这就意味着水的温度相对不容易发生改变，水的这种特性，对于维持生命系统的稳定性十分重要。

水在细胞中以两种形式存在，绝大部分的水呈游离状态，可以自由流动，叫作自由水；一部分水与细胞内的其他物质相结合，叫作结合水。细胞中自由水和结合水所起的作用是有差异的：自由水是细胞内良好的溶剂；结合水是细胞结构的重要组成部分，大约占细胞内全部水分的4.5%。细胞内结合水的存在形式主要是水与蛋白质、多糖等物质结合，这样水就失去流动性和溶解性，成为生物体的构成成分。在正常情况下，细胞内自由水所占的比例越大，细胞的代谢就越旺盛；而结合水越多，细胞抵抗干旱和寒冷等不良环境的能力就越强。例如，将种子晒干就是减少了其中自由水的量而使其代谢水平降低，便于储藏；北方冬小麦在冬天来临前，自由水的比例会逐渐降低，而结合水的比例会逐渐上升，以避免气温下降时自由水过多导致结冰而损害自身。

细胞中的无机盐

当你点燃一粒小麦种子，待它烧尽时可见到一些灰白色的灰烬，这些灰烬就是小麦种子里的无机盐。人和动物体内也含有无机盐。

细胞中大多数无机盐以离子的形式存在，含量较多的阳离子有 Na^+、K^+、Ca^{2+}、Mg^{2+}、Fe^{2+}、Fe^{3+} 等，阴离子有 Cl^-、SO_4^{2-}、PO_4^{3-}、HCO_3^- 等。

与水不同，无机盐是细胞中含量很少的无机物，仅占细胞鲜重的1%~1.5%。它们在细胞中有什么作用呢？

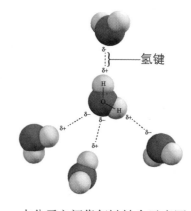

水分子之间靠氢键结合示意图

学科交叉 ×××××××××××××××××××

关于比热容等相关知识，请参阅物理教科书，并与同学交流它们的含义。

这些离子有什么重要的作用？请查找资料，寻求答案。

思考·讨论

无机盐的作用

资料1 下图是一种叶绿素分子和血红素分子局部结构简图。

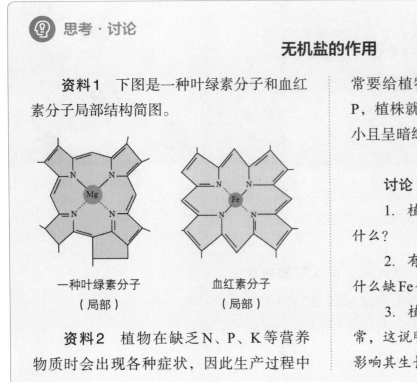

一种叶绿素分子　　　血红素分子
（局部）　　　　　（局部）

资料2 植物在缺乏N、P、K等营养物质时会出现各种症状，因此生产过程中常要给植物施肥。玉米在生长过程中缺乏P，植株就会特别矮小，根系发育差，叶片小且呈暗绿偏紫色。

讨论

1. 植物体缺Mg会影响光合作用，为什么？

2. 有一种贫血症叫缺铁性贫血症，为什么缺Fe会导致贫血？

3. 植物体缺P常表现为生长发育不正常，这说明什么？分析为什么植物体缺P会影响其生长发育。

摄入食盐过多或过少会对人体健康造成怎样的危害？请查找资料，寻找答案。

Mg是构成叶绿素的元素，Fe是构成血红素的元素。P是组成细胞膜、细胞核的重要成分，也是细胞必不可少的许多化合物的成分。Na^+、Ca^{2+}等离子对于生命活动也是必不可少的。例如，人体内Na^+缺乏会引起神经、肌肉细胞的兴奋性降低，最终引发肌肉酸痛、无力等，因此，当大量出汗排出过多的无机盐后，应多喝淡盐水。哺乳动物的血液中必须含有一定量的Ca^{2+}，如果Ca^{2+}的含量太低，动物会出现抽搐等症状。此外，生物体内的某些无机盐离子，必须保持一定的量，这对维持细胞的酸碱平衡也非常重要。可见，许多种无机盐对于维持细胞和生物体的生命活动都有重要作用。

练习与应用

一、概念检测

水和无机盐是细胞的重要组成成分。判断下列相关表述是否正确。

（1）细胞内的自由水和结合水都是良好的溶剂，都能参与物质运输和化学反应。（　）

（2）同一株植物中，老叶细胞比幼叶细胞中自由水的含量高。（　）

（3）将作物秸秆充分晒干后，其体内剩余的物质主要是无机盐。（　）

二、拓展应用

1. 医用生理盐水是质量分数为0.9%的氯化钠溶液。生理盐水的含义是什么？在什么情况下需要用生理盐水？

2. 目前已经探明，在火星两极地区有固态水，而那里的土壤中含有生命必需的Mg、Na、K等元素。科学家也曾在火星上发现了流动水的痕迹。科学家据此推测，火星上曾经或者现在存在着生命。为什么科学家会作出这样的推测呢？

第3节
细胞中的糖类和脂质

问题探讨

在科学研究和制药等领域，经常要进行动物细胞培养。体外培养动物细胞时，需要为细胞分裂和生长提供营养。绝大多数情况下，培养基中都会有葡萄糖。

讨论

1. 对于培养的细胞来说，葡萄糖可能起什么作用？

2. 在培养脂肪细胞时，即便没有向培养基中添加脂肪，新形成的脂肪细胞中也会出现油滴。这说明什么？

细胞培养

如同任何机器的运转都需要外界提供能量一样，细胞的生命活动也需要能量来维持。很多种有机物都可以为细胞的生活提供能量，其中糖类是主要的能源物质。

细胞中的糖类

说到糖，我们并不陌生，可以说出一连串糖的名字：绵白糖、砂糖、冰糖、葡萄糖等。其实，除了这些我们熟知的糖类，淀粉、纤维素等也属于糖类。这些糖类的分子有什么相同和不同之处呢？淀粉、纤维素并不甜，为什么也属于糖类呢？

糖类（carbohydrate）分子一般是由C、H、O三种元素构成的。因为多数糖类分子中氢原子和氧原子之比是2:1，类似水分子，因而糖类又被称为"碳水化合物"，简写为（CH_2O）。

糖类大致可以分为单糖、二糖和多糖等几类。

单糖　人在患急性肠炎时，往往采取静脉输液治疗，输液的成分中就含有葡萄糖（$C_6H_{12}O_6$）。葡萄糖是细胞生命活动所需要的主要能源物质，常被形容为"生命的燃料"。

葡萄糖不能水解，可直接被细胞吸收。像这样不能水解的糖类就是单糖。常见的单糖还有果糖、半乳糖、核糖和脱氧核糖等。

本节聚焦

● 细胞中的糖类主要有哪几类？在细胞中起什么作用？

● 细胞中的脂质主要有哪几类？在细胞中起什么作用？

● 了解关于糖类和脂质的知识，对健康地生活有什么帮助？

知识链接

体外燃烧1 g葡萄糖释放出约16 kJ的能量。葡萄糖是生物体内的"燃料"。与体外各种燃料燃烧不同的是，葡萄糖在细胞内的"燃烧"过程是"无火焰"的过程，能量是通过一系列化学反应逐步释放出来的。详见本书第5章第3节。

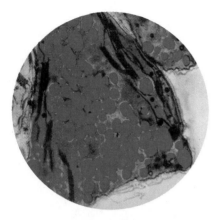

▲ 图 2-2 拟南芥细胞中的淀粉粒（染成蓝色，放大 200 倍）

糖尿病病人的饮食受到严格的限制，受限制的并不仅仅是甜味食品，米饭和馒头等主食也都需定量摄取。为什么？

二糖 二糖（$C_{12}H_{22}O_{11}$）由两分子单糖脱水缩合而成，一般要水解成单糖才能被细胞吸收。生活中最常见的二糖是蔗糖，红糖、白糖、冰糖等都是蔗糖。蔗糖在糖料作物甘蔗和甜菜里含量丰富，大多数水果和蔬菜中也含有蔗糖。常见的二糖还有在发芽的小麦等谷粒中含量丰富的麦芽糖，以及在人和动物乳汁中含量丰富的乳糖。

多糖 生物体内的糖类绝大多数以多糖 $[(C_6H_{10}O_5)_n]$ 的形式存在。淀粉是最常见的多糖（图2-2）。绿色植物通过光合作用产生淀粉，作为植物体内的储能物质存在于植物细胞中。粮食作物玉米、小麦、水稻的种子中含有丰富的淀粉，淀粉还大量存在于马铃薯、山药、甘薯等植物变态的茎或根以及一些植物的果实中。人体摄入的淀粉，必须经过消化分解成葡萄糖，才能被细胞吸收利用。

食物中的淀粉水解后变成葡萄糖，这些葡萄糖成为人和动物体合成动物多糖——糖原的原料（图2-3）。糖原主要分布在人和动物的肝脏和肌肉中，是人和动物细胞的储能物质。当细胞生命活动消耗了能量，人和动物血液中葡萄糖含量低于正常时，肝脏中的糖原便分解产生葡萄糖及时补充。

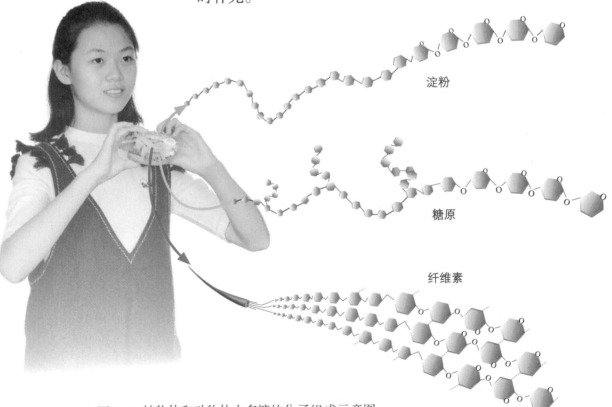

淀粉

糖原

纤维素

▲ 图 2-3 植物体和动物体内多糖的分子组成示意图

你注意过棉、棕榈和麻类植物吗？它们都有长长的纤维细丝，还有那些分布在其他植物茎秆和枝叶中的纤维，以及所有植物细胞的细胞壁，构成它们的主要成分都是纤维素。纤维素也是多糖，不溶于水，在人和动物体内很难被消化，即使草食类动物有发达的消化器官，也需借助某些微生物的作用才能分解这类多糖。与淀粉和糖原一样，纤维素也是由许多葡萄糖连接而成的。如图2-3所示，构成它们的基本单位都是葡萄糖分子。

几丁质也是一种多糖，又称为壳多糖，广泛存在于甲壳类动物和昆虫的外骨骼中（图2-4）。几丁质及其衍生物在医药、化工等方面有广泛的用途。例如，几丁质能与溶液中的重金属离子有效结合，因此可用于废水处理；可以用于制作食品的包装纸和食品添加剂；可以用于制作人造皮肤；等等。

批判性思维★★★★★★★★★★★★★★★★★

既然人类很难消化纤维素，为什么一些科学家还将纤维素等其他糖类称为人类的"第七类营养素"呢？

▲ 图2-4 几丁质是外骨骼的重要组成成分

△ **与社会的联系** 《中国居民膳食指南（2022）》提出的"控糖"建议是：控制添加糖的摄入量，每天摄入不超过50 g，最好控制在25 g以下（添加糖是指在食物的烹调、加工过程中添加进去的单糖、二糖等各种糖类甜味剂，不包括食物中天然存在的糖）。统计表明，市场上的一些饮料（如碳酸饮料、乳酸菌饮料等），每100 mL可能含糖就达到10 g；很多冷饮的含糖量在20%以上。也就是说，如果喝一瓶（500 mL）这样的饮料，当天所摄入的糖量就超标了。而肥胖、高血压、龋齿、某些糖尿病等都直接或间接与长期糖摄入超标有关。摄入适量的糖等营养物质并合理运动，有助于保持健康体重和良好的形体，维持自然健康的体态。

细胞中的脂质

你注意过肉类食品中的肥肉吗？肥肉的主要成分是脂肪（图2-5）；食用植物油是从油料作物中提取的，其主要成分也是脂肪。脂肪是脂质（lipid）的一种。脂质存在于所有细胞中，是组成细胞和生物体的重要有机化合物。与糖类相似，组成脂质的化学元素主要是C、H、O，有些脂质还含有P和N。与糖类不同的是，脂质分子中氧的含量远远低于糖类，而氢的含量更高。常见的脂质有脂肪、磷脂和固醇等，它们的分子结构差异很大，通常都不溶于水，而溶于脂溶性有机溶剂，如丙酮、氯仿、乙醚等。

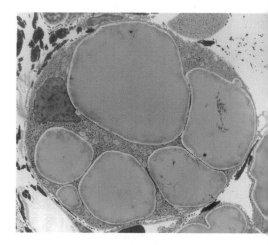

▲ 图2-5 动物脂肪细胞中储存的脂肪（染成橘黄色，放大2 200倍）

脂肪 脂肪是最常见的脂质。请根据已有的生活经验，讨论以下问题。

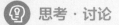
思考·讨论

脂肪的作用

1. 在人和哺乳动物体内，脂肪主要分布在哪些部位？

2. 请说出脂肪含量比较高的几种植物。脂肪主要分布在这些植物的什么器官中？

3. 脂肪对细胞和生物体可能有哪些作用？

4. 说到脂肪，你可能会想到肥胖、高血压、心脏病，脂肪的摄入量与健康有怎样的关系呢？

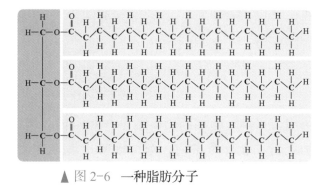

▲ 图2-6 一种脂肪分子

脂肪是由三分子脂肪酸与一分子甘油发生反应而形成的酯，即三酰甘油（又称甘油三酯，图2-6）。其中甘油的分子比较简单，而脂肪酸的种类和分子长短却不相同。脂肪酸可以是饱和的，也可以是不饱和的。植物脂肪大多含有不饱和脂肪酸，在室温时呈液态，如日常炒菜用的食用油（花生油、豆油和菜籽油等）；大多数动物脂肪含有饱和脂肪酸，室温时呈固态。

脂肪酸的"骨架"是一条由碳原子组成的长链。碳原子通过共价键与其他原子结合。如果长链上的每个碳原子与相邻的碳原子以单键连接，那么该碳原子就可以连接2个氢原子，这个碳原子就是饱和的，这样形成的脂肪酸称为饱和脂肪酸。饱和脂肪酸的熔点较高，容易凝固。如果长链中存在双键，那么碳原子连接的氢原子数目就不能达到饱和，这样形成的脂肪酸就是不饱和脂肪酸。不饱和脂肪酸的熔点较低，不容易凝固。

1 g糖原氧化分解释放出约17 kJ的能量，而1 g脂肪可以放出约39 kJ的能量。**脂肪是细胞内良好的储能物质**，当生命活动需要时可以分解利用。

▲ 图2-7 海豹

脂肪不仅是储能物质，还是一种很好的绝热体。生活在海洋中的大型哺乳动物，如鲸、海豹（图2-7）等，皮下有厚厚的脂肪层，起到保温的作用。生活在南极寒冷环境中的企鹅，体内脂肪可厚达4 cm。分布在内脏器官周围的脂肪还具有缓冲和减压的作用，可以保护内脏器官。

磷脂 磷脂与脂肪的不同之处在于甘油的一个羟基（—OH）不是与脂肪酸结合成酯，而是与磷酸及其他衍生物结合。因此，磷脂除了含有C、H、O外，还含有P甚至N。

磷脂是构成细胞膜的重要成分，也是构成多种细胞器膜的重要成分。在人和动物的脑、卵细胞、肝脏以及大豆的种子中，磷脂含量丰富。

固醇 固醇类物质包括胆固醇、性激素和维生素D等。胆固醇是构成动物细胞膜的重要成分，在人体内还参与血液中脂质的运输；性激素能促进人和动物生殖器官的发育以及生殖细胞的形成；维生素D能有效地促进人和动物肠道对钙和磷的吸收。

知识链接 《《《《《《《《《《《《《《《《《《《《《《《《《《《

关于细胞膜的磷脂双分子层，详见本书第3章第1节。

细胞中的糖类和脂质是可以相互转化的。血液中的葡萄糖除供细胞利用外，多余的部分可以合成糖原储存起来；如果葡萄糖还有富余，就可以转变成脂肪和某些氨基酸。给家畜、家禽提供富含糖类的饲料，使它们肥育，就是因为糖类在它们体内转变成了脂肪。而食物中的脂肪被消化吸收后，可以在皮下结缔组织等处以脂肪组织的形式储存起来。但是糖类和脂肪之间的转化程度是有明显差异的。例如，糖类在供应充足的情况下，可以大量转化为脂肪；而脂肪一般只在糖类代谢发生障碍，引起供能不足时，才会分解供能，而且不能大量转化为糖类。

我每天吃的都是一些玉米、谷类和菜叶，为何还会身体"发福"呢？

北京鸭

练习与应用

一、概念检测

1. 基于对细胞中的糖类和脂质的认识，判断下列相关表述是否正确。

（1）磷脂是所有细胞必不可少的脂质。（　）

（2）植物细胞和动物细胞的组成成分都含有纤维素。（　）

（3）脂肪、淀粉、糖原都是人体细胞内的储能物质。（　）

2. 水稻和小麦的细胞中含有丰富的多糖，这些多糖是（　）

A. 淀粉和糖原　　　B. 糖原和纤维素

C. 淀粉和纤维素　　D. 蔗糖和麦芽糖

二、拓展应用

1. 糖类和脂肪都在细胞生命活动中具有重要作用，然而，如果摄入过多，也会产生一定的危害。根据本节所学知识，回答以下问题。

（1）在日常饮食中，如何合理控制糖类和脂肪的摄入？

（2）结合家人的健康状况，从合理摄入糖类和脂肪的角度，对家人的饮食习惯能提出哪些改进建议？

2. 为什么等量的脂肪比糖类含能量多，但在一般情况下脂肪却不是生物体利用的主要能源物质？请查找资料回答这个问题。

第4节
蛋白质是生命活动的主要承担者

💬 **问题探讨**

从某些动物组织中提取的胶原蛋白，可以用来制作手术缝合线。手术后过一段时间，这种缝合线就可以被人体组织吸收，从而避免拆线的痛苦。

讨论

1. 为什么这种缝合线可以被人体组织吸收？

2. 这种缝合线发生什么样的化学变化才能被吸收？这对你认识蛋白质的化学组成有什么启示？

手术缝合线

◎ **本节聚焦**

- 怎样理解蛋白质是生命活动的主要承担者？
- 氨基酸的结构有什么特点？
- 为什么细胞中蛋白质的种类如此多样？

组成细胞的有机物中含量最多的就是蛋白质（protein）。从化学角度看，蛋白质也是目前已知的结构最复杂、功能最多样的分子。细胞核中的遗传信息，往往要表达成蛋白质才能起作用。**蛋白质是生命活动的主要承担者**（图2-8）。

蛋白质的功能

许多蛋白质是构成细胞和生物体结构的重要物质，称为结构蛋白。例如，肌肉、头发、羽毛、蛛丝等的成分主要是蛋白质（图为肌肉纤维）。

细胞中的化学反应离不开酶的催化。绝大多数酶都是蛋白质（图为胃蛋白酶结晶）。

有些蛋白质具有运输功能（图为血红蛋白示意图，能运输氧）。

有些蛋白质能够调节机体的生命活动，如胰岛素（图中黄色区域的部分细胞能分泌胰岛素）。

有些蛋白质有免疫功能。人体内的抗体是蛋白质，可以帮助人体抵御病菌和病毒等抗原的侵害。

▲ 图2-8 蛋白质的功能举例

总体来说，蛋白质是细胞的基本组成成分，具有参与组成细胞结构、催化、运输、信息传递、防御等重要功能。可以说，细胞的各项生命活动都离不开蛋白质。

蛋白质能够承担如此多样的功能，这与蛋白质的多样性有关。人体内有数万种不同的蛋白质。据估计，生物界的蛋白质种类多达 $10^{10} \sim 10^{12}$ 种。

为什么蛋白质能有这么多的种类和这么多样的功能？这与它的组成和结构有关吗？

蛋白质的基本组成单位——氨基酸

作为手术缝合线的胶原蛋白之所以能被人体组织吸收，是因为胶原蛋白被分解为可以被人体吸收的氨基酸（amino acid）。

在人体中，组成蛋白质的氨基酸有21种。**氨基酸是组成蛋白质的基本单位。**氨基酸的结构是怎样的呢？

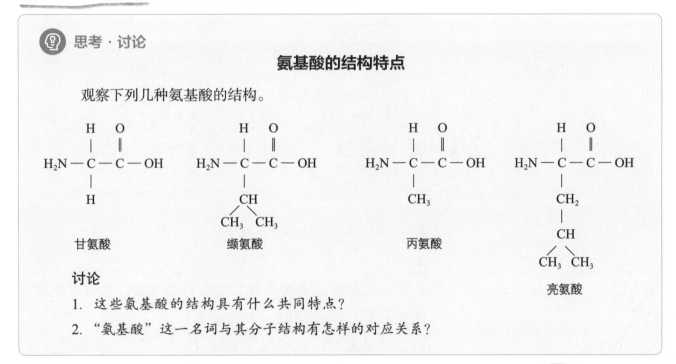

思考·讨论

氨基酸的结构特点

观察下列几种氨基酸的结构。

甘氨酸　　缬氨酸　　丙氨酸　　亮氨酸

讨论

1. 这些氨基酸的结构具有什么共同特点？
2. "氨基酸"这一名词与其分子结构有怎样的对应关系？

其他氨基酸与以上4种氨基酸结构相似，即每种氨基酸至少都含有一个氨基（—NH_2）和一个羧基（—COOH），并且都有一个氨基和一个羧基连接在同一个碳原子上。这个碳原子还连接一个氢原子和一个侧链基团，这个侧链基团用R表示（图2-9）。各种氨基酸之间的区别在于R基的不同，如甘氨酸上的R基是一个氢原子（—H），丙氨酸上的R基是一个甲基（—CH_3）。

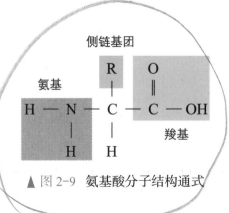

▲ 图2-9　氨基酸分子结构通式

与社会的联系 组成人体蛋白质的氨基酸有21种，其中有8种是人体细胞不能合成的，它们是赖氨酸、色氨酸、苯丙氨酸、蛋（甲硫）氨酸、苏氨酸、异亮氨酸、亮氨酸、缬氨酸，这些氨基酸必须从外界环境中获取，因此，被称为必需氨基酸。经常食用奶制品、肉类、蛋类和大豆制品，人体一般就不会缺乏必需氨基酸。另外13种氨基酸是人体细胞能够合成的，叫作非必需氨基酸。

尽管氨基酸的种类有限，但却构成了种类繁多、功能多样的蛋白质。

蛋白质的结构及其多样性

蛋白质是以氨基酸为基本单位构成的生物大分子。氨基酸分子首先通过互相结合的方式进行连接：一个氨基酸分子的羧基（—COOH）和另一个氨基酸分子的氨基（—NH$_2$）相连接，同时脱去一分子的水，这种结合方式叫作脱水缩合。连接两个氨基酸分子的化学键叫作肽键。由两个氨基酸缩合而成的化合物，叫作二肽（图2-10）。

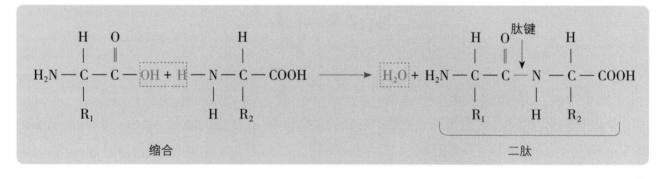

▲ 图2-10 氨基酸脱水缩合示意图

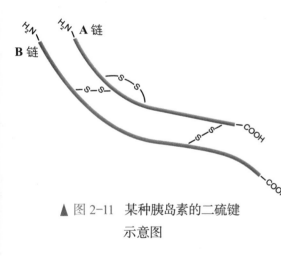

▲ 图2-11 某种胰岛素的二硫键示意图

以此类推，由多个氨基酸缩合而成的，含有多个肽键的化合物，叫作多肽。多肽通常呈链状结构，叫作肽链。由于氨基酸之间能够形成氢键等，从而使得肽链能盘曲、折叠，形成具有一定空间结构的蛋白质分子。许多蛋白质分子都含有两条或多条肽链，它们通过一定的化学键如二硫键相互结合在一起（图2-11）。这些肽链不呈直线，也不在同一个平面上，而是形成更为复杂的空间结构。例如，血红蛋白是一种由574个氨基酸组成的蛋白质，含4条多肽链，它的空间结构如图2-12所示。

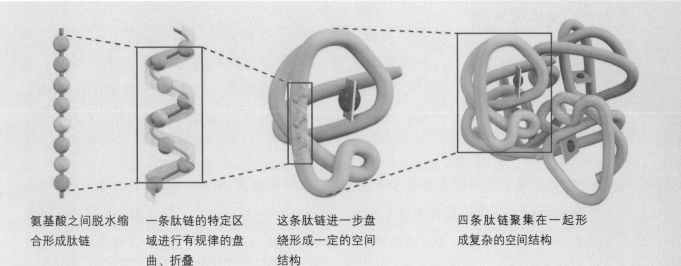

| 氨基酸之间脱水缩合形成肽链 | 一条肽链的特定区域进行有规律的盘曲、折叠 | 这条肽链进一步盘绕形成一定的空间结构 | 四条肽链聚集在一起形成复杂的空间结构 |

▲ 图 2-12　由氨基酸形成血红蛋白的示意图

💡 **思考·讨论**

氨基酸怎样构成蛋白质

观察图2-12，讨论并回答下列问题。

讨论

1. 从氨基酸到蛋白质大致有哪些结构层次？

2. 进入人体消化道的蛋白质食物，要经过哪些消化酶的作用才能分解为氨基酸？这些氨基酸进入人体细胞后，需经过怎样的过程才能变为人体的蛋白质？人体中的蛋白质和食物中的蛋白质会一样吗？

3. 如果用21个不同的字母代表21种氨基酸，若写出由10个氨基酸组成的长链，可以写出多少条互不相同的长链？试着说出蛋白质种类多种多样的原因（提示：一个蛋白质分子往往含有成百上千个氨基酸）。

在细胞内，组成一种蛋白质的氨基酸数目可能成千上万，氨基酸形成肽链时，不同种类氨基酸的排列顺序千变万化，肽链的盘曲、折叠方式及其形成的空间结构千差万别，因此，蛋白质分子的结构极其多样，这就是细胞中蛋白质种类繁多的原因。

每一种蛋白质分子都有与它所承担功能相适应的独特结构，如果氨基酸序列改变或蛋白质的空间结构改变，就可能会影响其功能。例如，人正常血红蛋白的空间结构呈球状，由它参与组成的红细胞呈两面凹的圆盘状，如

相关信息

人类的许多疾病与人体细胞内肽链的折叠错误有关，如囊性纤维化、阿尔茨海默病、帕金森病等。

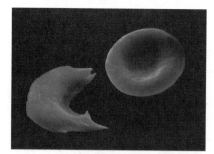

▲ 图2-13 镰状红细胞（图中左下方, 放大3 000倍）

果血红蛋白某一处的谷氨酸被缬氨酸取代，就可能形成异常的血红蛋白。这样的血红蛋白可聚合成纤维状，性质也与正常血红蛋白有差异，由它参与组成的红细胞就会扭曲成镰刀状（图2-13），运输氧的能力会大为削弱。

⚠ **与社会的联系** 蛋白质变性是指蛋白质在某些物理和化学因素作用下其特定的空间构象被破坏，从而导致其理化性质的改变和生物活性丧失的现象。例如，鸡蛋、肉类经煮熟后蛋白质变性就不能恢复原来状态。原因是高温使蛋白质分子的空间结构变得伸展、松散，容易被蛋白酶水解，因此吃熟鸡蛋、熟肉容易消化。又如，经过加热、加酸、加酒精等引起细菌和病毒的蛋白质变性，可以达到消毒、灭菌的目的。

～～～～～～ **练习与应用** ～～～～～～

一、概念检测

1. 判断下列有关蛋白质的表述是否正确。
（1）蛋白质彻底水解的产物是氨基酸。（　）
（2）氨基酸仅通过脱水缩合的方式就可以形成蛋白质。（　）
（3）只有细胞内才有蛋白质分布。（　）
（4）蛋白质的空间结构与其功能密切相关。（　）

2. 质量相等的下列食物中，蛋白质含量最多的是（　）
　A. 烧牛肉　　　B. 烤甘薯
　C. 馒头　　　　D. 米饭

3. 下列物质中，属于构成蛋白质的氨基酸的是（　）

　A. $NH_2—CH_2—COOH$

　B. $NH_2—CH_2—CH_2OH$

　C. $NH_2—CH—(CH_2)_2—COOH$
　　　　　　 |
　　　　　　 NH_2

　D. $HOOC—CH—CH_2—COOH$
　　　　　　 |
　　　　　　 $COOH$

4. 下列物质中，不属于蛋白质的是（　）
　A. 胰岛素　　　B. 胆固醇
　C. 胃蛋白酶　　D. 抗体

二、拓展应用

1. 民间有一种"吃什么补什么"的说法，如吃鱼眼能明目，喝虎骨酒可以壮筋骨。请你运用本节所学的知识对这种说法作出评价。

2. 某种脑啡肽具有镇痛作用，可以作为药物来使用，它的基本组成单位是氨基酸。下面是该脑啡肽的结构式。

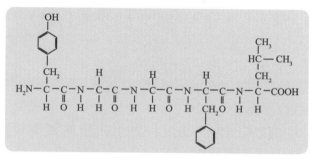

回答下列问题。

（1）构成一个脑啡肽的氨基酸数目是_____；有_____种氨基酸参与了脱水缩合反应；生成的水分子数目是_____。

（2）请在图中标出其中的一个肽键。

（3）如果上图中的氨基酸顺序发生了改变，它还会具有脑啡肽的功能吗？为什么？

3. 在评价各种食物中蛋白质成分的营养价值时，人们格外注重其中必需氨基酸的种类和含量。这是为什么？

世界上第一个人工合成蛋白质的诞生

早在19世纪初，人们已经认识到，证明一种物质的分子结构最直接的方法，是在实验室中直接合成这种分子。19世纪中叶，科学家陆续用无机物合成了一些有机物，但是还不能合成蛋白质。1886年，俄国一位科学家尝试用氨基酸"装配"蛋白质。他先将蛋白质分解，把得到的氨基酸放进试管里，再加入一些促进蛋白质合成的物质。过一段时间后，试管里出现了乳白色的沉淀物。当时整个科学界轰动了，以为找到了人工合成蛋白质的方法，实际上这些沉淀物只是一些氨基酸分子随机连接形成的多肽。

在探索过程中，科学家认识到，要想快速、准确地合成蛋白质，首先要弄清楚蛋白质中氨基酸的排列顺序。

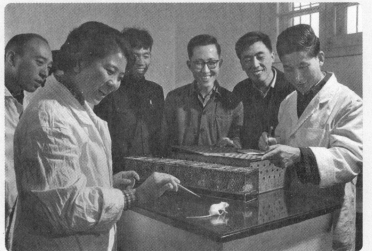

人工合成牛胰岛素动物试验获得成功的场面

例如，一个由20种、500个氨基酸组成的蛋白质，它的氨基酸的排列顺序就可能有 20^{500} 种。也就是说，如果不清楚氨基酸的排列顺序，可能需要连接 20^{500} 次，才有可能获得所需要的蛋白质。后来，英国科学家桑格（F. Sanger）经过10年的努力，终于在1953年测得了牛胰岛素全部氨基酸的排列顺序。

20世纪初，人们就发现胰岛素能治疗糖尿病。由于胰岛素在牛、羊等动物体内含量很少，人类不能从动物体内大量提取胰岛素，因此，人们梦想着有一天用人工方法来合成胰岛素。

1965年，中国科学院上海生物化学研究所、北京大学和中国科学院上海有机化学研究所的钮经义、龚岳亭、邹承鲁、杜雨苍、季爱雪、邢其毅、汪猷、徐杰诚等科学家通力合作，在经历了多次失败后，终于在世界上第一次用人工方法合成具有生物活性的蛋白质——结晶牛胰岛素。当时国际上最高的科研水平，也只是合成由19个氨基酸组成的多肽。胰岛素虽然是相对分子质量较小的蛋白质，但也是由17种、51个氨基酸形成两条肽链而组成的。这项艰巨的任务由北京和上海两地的科研小组共同承担。经过集体研究，科研人员决定先把天然胰岛素的两条链拆开，摸索出将两条链合在一起的方法。然后再分别合成两条链，最后将两条人工链合在一起。经过6年零9个月的不懈努力，我国科学家终于在1965年完成了结晶牛胰岛素的合成，更令人振奋的是，合成的胰岛素具有与天然胰岛素一样的生物活性！中国科学家依靠集体的智慧和力量，摘取了人工合成蛋白质的桂冠。

第5节
核酸是遗传信息的携带者

💬 **问题探讨**

　　DNA指纹技术在案件侦破工作中有重要的用途。刑侦人员将从案发现场收集到的血液、头发等样品中提取的DNA，与犯罪嫌疑人的DNA进行比较，就有可能为案件的侦破提供证据。

讨论

1. 为什么DNA能够提供犯罪嫌疑人的信息？
2. 你还能说出DNA鉴定技术在其他方面的应用吗？

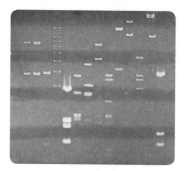

DNA指纹检测

◎ **本节聚焦**

- DNA与RNA在化学组成上有什么异同点？
- 核苷酸的排列顺序与遗传信息有什么关系？
- 怎样理解生物大分子以碳链作为基本骨架？

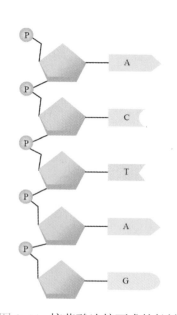

▲ 图2-14　核苷酸连接而成的长链

　　"核酸"，顾名思义，就是从细胞核中提取的具有酸性的物质。那么，核酸究竟是什么物质？它们只分布在细胞核中吗？

核酸的种类及其分布

　　核酸（nucleic acid）包括两大类：一类是脱氧核糖核酸（deoxyribonucleic acid），简称DNA；另一类是核糖核酸（ribonucleic acid），简称RNA。真核细胞的DNA主要分布在细胞核中，线粒体、叶绿体内也含有少量的DNA。RNA主要分布在细胞质中。

核酸是由核苷酸连接而成的长链

　　核酸同蛋白质一样，也是生物大分子。核苷酸是核酸的基本组成单位。每个核酸分子是由几十个乃至上亿个核苷酸连接而成的长链（图2-14）。一个核苷酸是由一分子含氮的碱基、一分子五碳糖和一分子磷酸组成的。根据五碳糖的不同，可以将核苷酸分为脱氧核糖核苷酸（简称脱氧核苷酸）和核糖核苷酸（图2-15）。

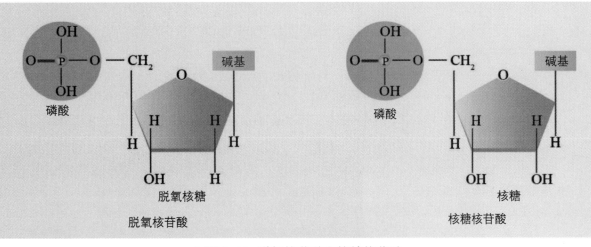

▲ 图 2-15 脱氧核苷酸和核糖核苷酸

DNA 和 RNA 各含 4 种碱基，但是组成二者的碱基种类有所不同（图 2-16）。

DNA 是由脱氧核苷酸连接而成的长链，RNA 则是由核糖核苷酸连接而成的长链。一般情况下，在生物体的细胞中，DNA 由两条脱氧核苷酸链构成，RNA 由一条核糖核苷酸链构成。

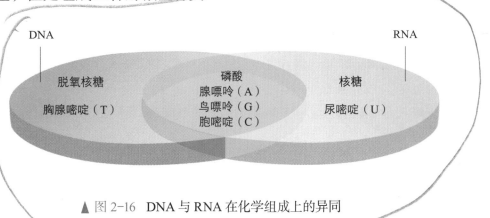

▲ 图 2-16 DNA 与 RNA 在化学组成上的异同

本节"问题探讨"中提到的刑侦人员可以通过 DNA 指纹获得嫌疑人信息，根本原因在于生物的遗传信息就储存在 DNA 分子中，而且每个个体的 DNA 的脱氧核苷酸序列各有特点。可以想象：组成 DNA 的脱氧核苷酸虽然只有 4 种，但是如果数量不限，在连成长链时，排列顺序就是极其多样的，它的信息容量自然就非常大了。脱氧核苷酸的排列顺序储存着生物的遗传信息，DNA 分子是储存、传递遗传信息的生物大分子；部分病毒的遗传信息储存在 RNA 中，如 HIV（人类免疫缺陷病毒）、SARS（严重急性呼吸综合征）病毒等。

核酸是细胞内携带遗传信息的物质，在生物体的遗传、变异和蛋白质的生物合成中具有极其重要的作用。

知识链接 ≪≪≪≪≪≪≪≪≪≪≪≪≪≪≪≪≪≪≪≪≪≪≪≪≪≪

DNA 和 RNA 在生物遗传中的作用及联系，参见必修 2《遗传与进化》第 3 章和第 4 章。

生物大分子以碳链为骨架

细胞是由多种元素和化合物构成的。在构成细胞的化合物中，多糖、蛋白质、核酸都是生物大分子。

通过学习，我们知道组成多糖的基本单位是单糖，组成蛋白质的基本单位是氨基酸，组成核酸的基本单位是核苷酸，这些基本单位称为单体。每一个单体都以若干个相连的碳原子构成的碳链为基本骨架。生物大分子是由许多单体连接成的多聚体（图2-17），因此，生物大分子也是以碳链为基本骨架的。正是由于碳原子在组成生物大分子中的重要作用，科学家才说"碳是生命的核心元素""没有碳，就没有生命"。

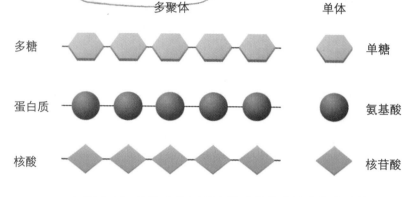

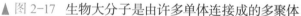

▲ 图2-17　生物大分子是由许多单体连接成的多聚体

以碳链为骨架的多糖、蛋白质、核酸等生物大分子，构成细胞生命大厦的基本框架；糖类和脂质提供了生命活动的重要能源；水和无机盐与其他物质一起，共同承担着构建细胞、参与细胞生命活动等重要功能。细胞中的这些化合物，含量和比例处在不断变化之中，但又保持相对稳定，以保证细胞生命活动的正常进行。

～～～～～～ 练习与应用 ～～～～～～

一、概念检测

1. 核酸是遗传信息的携带者。判断下列有关核酸的组成和分布的表述是否正确。

（1）DNA和RNA的基本组成单位是核苷酸。（　）

（2）核酸是生物的遗传物质，仅存在于细胞核中。（　）

（3）构成DNA的单体是脱氧核苷酸。（　）

2. 根据组成单糖的碳原子数目，可将单糖分为五碳糖和六碳糖等，组成DNA的五碳糖是（　）

A. 核糖　　　　B. 葡萄糖

C. 脱氧核糖　　D. 麦芽糖

3. 下列物质中，不是核苷酸组成成分的是（　）

A. 碱基　B. 核糖　C. 甘油　D. 磷酸

4. 豌豆叶肉细胞中的核酸，含有的碱基种类是（　）

A. 1种　B. 4种　C. 5种　D. 8种

二、拓展应用

随着生活水平的提高，人们对营养保健食品日益关注。一些厂家在核酸保健品的广告中用到类似的宣传语：一切疾病都与基因受损有关；基因是核酸片段；补充某些特定的核酸，可增强基因的修复能力。

（1）请对上述三段宣传语作出评析，指出其中的逻辑漏洞。

（2）如果有人向你推销核酸保健品，你将如何回应？

本章小结

理解概念

● 组成细胞的化学元素常见的有20多种，C、H、O、N的含量最多。这些元素都是无机自然界所具有的。这些元素可以组成不同的化合物，包括水、无机盐等无机物，糖类、脂质、蛋白质、核酸等有机物。

● 水是细胞中良好的溶剂，又是细胞结构的重要组成成分。细胞中的无机盐多以离子的形式存在。一些无机盐是细胞内复杂化合物的重要组成成分，许多种无机盐对于维持细胞和生物体的生命活动有非常重要的作用。

● 糖类是细胞的主要能源物质，也是细胞结构的重要组成成分。糖类大致可以分为单糖、二糖和多糖等。

● 脂质通常包括脂肪、磷脂、固醇等，它们有些是细胞结构的重要组成成分，有些参与重要的生命活动过程，其中脂肪是细胞内良好的储能物质。

● 蛋白质是生命活动的主要承担者，其基本组成单位是氨基酸。20种左右的氨基酸在形成肽链时排列顺序千变万化，肽链通过盘曲、折叠形成的空间结构千差万别，这样就形成了结构和功能极其多样的蛋白质。

● 核酸包括DNA和RNA两大类，是遗传信息的携带者，其基本组成单位是核苷酸。虽然组成DNA的核苷酸只有4种，但在连成长链时，排列顺序极其多样，可以储存大量的遗传信息。

● 多糖、蛋白质和核酸分别以单糖、氨基酸和核苷酸为单体组成多聚体，相对分子质量很大，称为生物大分子。生物大分子以碳链为骨架。

发展素养

通过本章的学习，应在以下几方面得到发展。

● 阐明细胞和生物体的各种生命活动都有其物质基础，初步形成生命的物质观，为辩证唯物主义世界观的形成奠定基础。

● 说明组成细胞的物质具有特殊性，蛋白质和核酸等生物大分子是生物所特有的，它们既是生命赖以存在的物质，也是生命活动的产物，据此进一步阐明生命的物质观。

● 说明蛋白质、核酸等物质在细胞中的功能是由其组成和结构决定的，初步形成结构与功能相适应的观念，并能运用这一观念分析相关的生物学问题。

● 关注糖类、脂质等物质的过量摄入对健康的影响，在改进自己膳食行为的同时，向他人宣传有关的营养保健知识。

复习与提高

一、选择题

1. 多糖、蛋白质、核酸等生物大分子构成了细胞生命大厦的基本框架，构成这些分子基本骨架的元素是（　　）

A. C　　B. H　　C. O　　D. N

2. 水稻和玉米从外界吸收硝酸盐和磷酸盐，可以用于细胞内合成（　　）

A. 蔗糖　　　　　B. 核酸

C. 甘油　　　　　D. 脂肪酸

3. 植物利用硝酸盐需要硝酸还原酶，缺Mn^{2+}的植物无法利用硝酸盐。据此，对Mn^{2+}的作用，正确的推测是（　　）

A. 对维持细胞的形态有重要作用

B. 对维持细胞的酸碱平衡有重要作用

C. 对调节细胞的渗透压有重要作用

D. Mn^{2+}是硝酸还原酶的活化剂

4. 某同学在烈日下参加足球比赛时突然晕倒，医生根据情况判断，立即给他做静脉滴注处理。请推测，这种情况下最合理的注射液应该是（　　）

A. 生理盐水　　　　B. 氨基酸溶液

C. 葡萄糖溶液　　　D. 葡萄糖生理盐水

5. 人体摄入的糖类，有的能被细胞直接吸收，有的必须要经过水解后才能被细胞吸收。下列糖类中，能直接被细胞吸收的是（　　）

A. 葡萄糖　　　　　B. 蔗糖

C. 麦芽糖　　　　　D. 乳糖

6. 脂质不具有的功能是（　　）

A. 储存能量　　　　B. 构成膜结构

C. 调节生理功能　　D. 携带遗传信息

7. 由许多氨基酸缩合而成的肽链，经过盘曲折叠才能形成具有一定空间结构的蛋白质。下列有关蛋白质结构多样性原因的叙述，错误的是（　　）

A. 组成肽链的化学元素不同

B. 肽链的盘曲折叠方式不同

C. 组成蛋白质的氨基酸排列顺序不同

D. 组成蛋白质的氨基酸种类和数量不同

8. 多糖、蛋白质和核酸的基本组成单位不同，因此它们彻底水解后的产物也不同。RNA彻底水解后，得到的物质是（　　）

A. 氨基酸、葡萄糖、含氮碱基

B. 核糖、含氮碱基、磷酸

C. 氨基酸、核苷酸、葡萄糖

D. 脱氧核糖、含氮碱基、磷酸

二、非选择题

1. 在冬季来临过程中，随着气温的逐渐降低，植物体内发生了一系列适应低温的生理生化变化，抗寒能力逐渐增强。下图为冬小麦在不同时期含水量变化关系图。

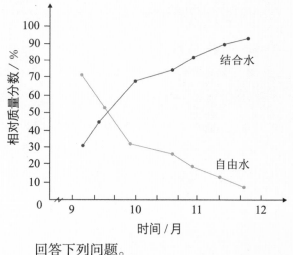

回答下列问题。

（1）冬小麦的含水量从9月至12月处于下降趋势，请解释原因。

（2）冬小麦的自由水下降非常快，而结合水则上升比较多，这是为什么？

（3）请阐述水在细胞中的重要作用。

2. 人的红细胞和心肌细胞的主要成分都是蛋白质，但红细胞主要承担运输氧的作用，心肌细胞承担心脏律动作用，请从蛋白质结构的角度分析这两种细胞功能不同的主要原因。

3. 多糖和核酸都是由许多单体组成的多聚体，试从组成二者单体种类的角度分析，为什么核酸是遗传信息的携带者，而多糖不是？

第3章
细胞的基本结构

对于我们体内的一些胰岛细胞来说，合成和分泌胰岛素是很平常的事，而我国科学家完成人类历史上第一次人工合成胰岛素的创举，却用了6年多的时间！时至今日，世界上临床应用的胰岛素，仍是将胰岛素基因转入易于培养的细胞中，让细胞来生产的。为什么靠人力很难完成的工作，对细胞来说却轻而易举呢？细胞中是不是有一条条"生产线"呢？

正如一堆建筑材料不可能让人居住一样，将细胞中所有的物质放在一起，它们并不能进行任何生命活动。组成细胞的分子必须有序地组织成细胞的结构，才能成为一个基本的生命系统。

那么，细胞的基本结构是怎样的呢？细胞的各种结构又是怎样协调配合，共同完成生命活动的呢？

我确信哪怕一个最简单的细胞，也比迄今为止设计出的任何智能电脑更精巧。

——引自翟中和院士等主编的《细胞生物学》

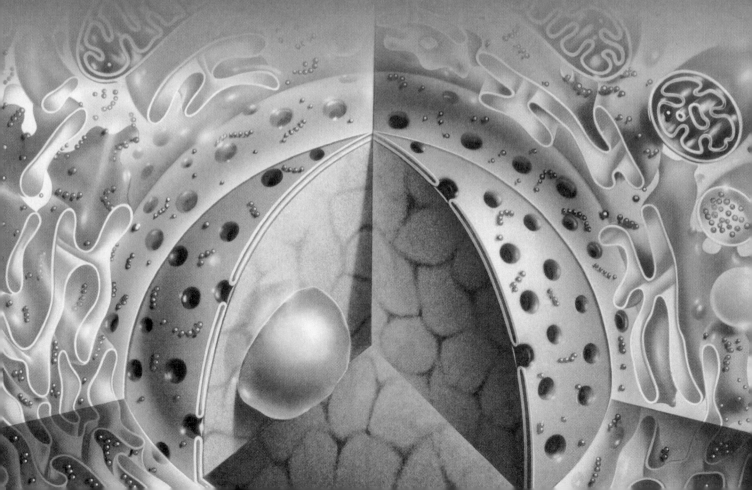

第1节
细胞膜的结构和功能

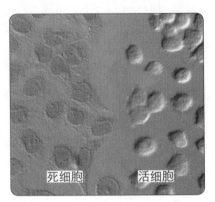

用台盼蓝染液染色后的
死细胞和活细胞（放大200倍）

💬 **问题探讨**

鉴别动物细胞是否死亡常用台盼蓝染液。用它染色时，死细胞会被染成蓝色，而活细胞不会着色。

讨论

1. 为什么活细胞不能被染色，而死细胞能被染色？
2. 据此推测，细胞膜作为细胞的边界，应该具有什么功能？

◎ **本节聚焦** ————

● 细胞膜有哪些主要功能？

● 流动镶嵌模型的基本内容是什么？

● 通过对细胞膜结构的探索过程的分析，你对科学的过程和方法有哪些领悟？

一个国家有陆地、海域、领空的边界；使人体内部与外界分隔的皮肤和黏膜，是人体的边界。系统的边界对系统的稳定至关重要。细胞作为一个基本的生命系统，它的边界就是细胞膜（cell membrane），也叫质膜（plasma membrane）。

细胞膜作为系统的边界，它在细胞的生命活动中起什么作用呢？

细胞膜的功能

将细胞与外界环境分隔开 在生命起源的过程中，原始海洋（图3-1）中的有机物逐渐聚集并且相互作用，进化出原始的生命。在原始海洋这盆"热汤"中，膜的出现是生命起源过程中至关重要的阶段，它将生命物质与外界环境分隔开，产生了原始的细胞，并成为相对独立的系统。细胞膜保障了细胞内部环境的相对稳定。

控制物质进出细胞 细胞膜像海关或边防检查站，对进出细胞的物质进行严格的"检查"。一般来说，细胞需要的营养物质可以从外界进入细胞；细胞不需要的物质不容易进入细胞。上面"问题探讨"中的实例，就说明活细胞的细胞膜对物质进入细胞具有控制作用。抗体、激素等物质在细胞内合成后，分泌到细胞外，细胞产生的废物也要排到细胞外；但是，细胞内有用的成分却不会轻易流失到细胞外。当然，

▲ 图3-1 推测的原始海洋景观想象图

细胞膜的控制作用是相对的，环境中一些对细胞有害的物质有可能进入；有些病毒、病菌也能侵入细胞，使生物体患病。

进行细胞间的信息交流　在多细胞生物体内，各个细胞都不是孤立存在的，它们之间必须保持功能的协调，才能使生物体健康地生存。这种协调性的实现不仅依赖于物质和能量的交换，也有赖于信息的交流。细胞间信息交流的方式多种多样（如图3-2）。

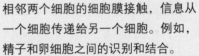

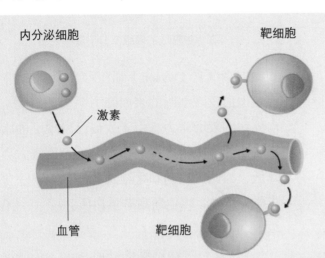

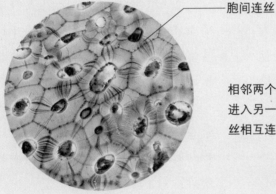

内分泌细胞分泌的激素（如胰岛素），随血液到达全身各处，与靶细胞的细胞膜表面的受体结合，将信息传递给靶细胞。

相邻两个细胞的细胞膜接触，信息从一个细胞传递给另一个细胞。例如，精子和卵细胞之间的识别和结合。

相邻两个细胞之间形成通道，携带信息的物质通过通道进入另一个细胞。例如，高等植物细胞之间通过胞间连丝相互连接，也有信息交流的作用。

▲ 图 3-2　细胞间信息交流的方式举例

　　多细胞生物是一个繁忙而有序的细胞"社会"。如果没有信息交流，生物体不可能作为一个整体完成生命活动。细胞间的信息交流，大多与细胞膜的结构有关。

　　细胞膜的功能是由它的成分和结构决定的。但细胞膜非常薄，即使在高倍显微镜下依然难以看清它的真面目，人们对细胞膜化学成分与结构的认识经历了很长的过程。

对细胞膜成分的探索

1895年，欧文顿（E. Overton）用500多种化学物质对植物细胞的通透性进行了上万次的实验，发现细胞膜对不同物质的通透性不一样：溶于脂质的物质，容易穿过细胞膜；不溶于脂质的物质，不容易穿过细胞膜。据此推测：细胞膜是由脂质组成的。

为了进一步确定细胞膜中脂质成分的类型，科学家利用动物的卵细胞、红细胞、神经细胞等作为研究材料，并利用哺乳动物的红细胞，通过一定的方法制备出纯净的细胞膜，进行化学分析，得知组成细胞膜的脂质有磷脂和胆固醇，其中磷脂含量最多。

磷脂的一端为亲水的头，两个脂肪酸一端为疏水的尾（见下图），多个磷脂分子在水中总是自发地形成双分子层。

1925年，两位荷兰科学家戈特（E. Gorter）和格伦德尔（F. Grendel）用丙酮从人的红细胞中提取脂质，在空气—水界面上铺展成单分子层，测得单层分子的面积恰为红细胞表面积的2倍。他们由此推断：细胞膜中的磷脂分子必然排列为连续的两层（见右上图）。

1935年，英国学者丹尼利（J. F. Danielli）

在水中形成的磷脂双分子层模式图

和戴维森（H. Davson）研究了细胞膜的张力。他们发现细胞的表面张力明显低于油—水界面的表面张力。由于人们已发现了油脂滴表面如果吸附有蛋白质成分则表面张力会降低，因此丹尼利和戴维森推测细胞膜除含脂质分子外，可能还附有蛋白质。

讨论

1. 最初对细胞膜成分的认识，是通过对现象的推理分析，还是通过对膜成分的提取与检测？

2. 根据磷脂分子的特点解释，为什么磷脂在空气—水界面上铺展成单分子层？科学家是如何推导出"脂质在细胞膜中必然排列为连续的两层"这一结论的？

3. 磷脂分子在水中能自发地形成双分子层，你如何解释这一现象？由此，你能否就细胞膜是由磷脂双分子层构成的原因作出分析？

4. 如果将磷脂分子置于水—苯的混合溶剂中，磷脂分子将会如何分布？

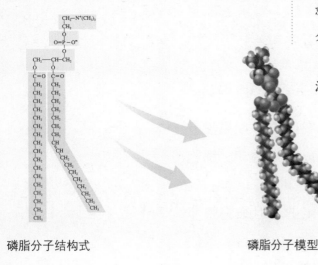

磷脂分子结构式   磷脂分子模型   磷脂分子示意图

对细胞膜结构的探索

对细胞膜成分的研究发现，细胞膜主要是由脂质和蛋白质组成的。此外，还有少量的糖类。其中脂质约占细胞膜总质量的50%，蛋白质约占40%，糖类占2%~10%。在组成细胞膜的脂质中，磷脂最丰富，此外还有少量的胆固醇。蛋白质在细胞膜行使功能方面起着重要的作用，因此功能越复杂的细胞膜，蛋白质的种类与数量就越多。

脂质和蛋白质等成分是如何组成细胞膜的呢？

20世纪40年代，曾经有学者推测脂质两边各覆盖着蛋白质。1959年，罗伯特森（J. D. Robertson）在电镜下看到了细胞膜清晰的暗—亮—暗的三层结构（图3-3），他结合其他科学家的工作，大胆地提出了细胞膜模型的假说：所有的细胞膜都由蛋白质—脂质—蛋白质三层结构构成，电镜下看到的中间的亮层是脂质分子，两边的暗层是蛋白质分子。他把细胞膜描述为静态的统一结构。

20世纪60年代以后，人们对这一模型的异议增加了。不少科学家对于细胞膜是静态的观点提出质疑：如果是这样，细胞膜的复杂功能将难以实现，就连细胞的生长、变形虫的变形运动这样的现象都难以解释。

1970年，科学家用发绿色荧光的染料标记小鼠细胞表面的蛋白质分子，用发红色荧光的染料标记人细胞表面的蛋白质分子，将小鼠细胞和人细胞融合。这两种细胞刚融合时，融合细胞的一半发绿色荧光，另一半发红色荧光。在37 ℃下经过40 min，两种颜色的荧光均匀分布（图3-4）。这一实验以及相关的其他实验证据表明，细胞膜具有流动性。

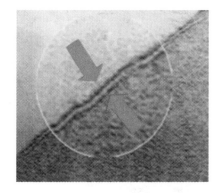

▲ 图3-3 细胞膜结构的电镜照片（放大400 000倍）

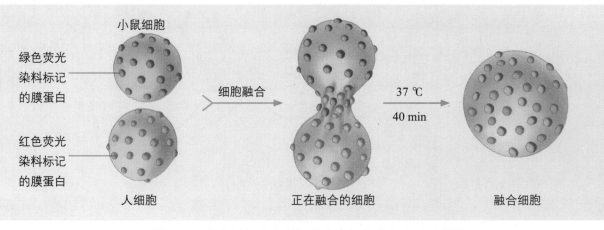

▲ 图3-4 荧光标记的小鼠细胞和人细胞融合实验示意图

在新的观察和实验证据的基础上，又有学者提出了一些关于细胞膜的分子结构模型。其中，1972年，辛格（S. J. Singer）和尼科尔森（G. Nicolson）提出的流动镶嵌模型为大多数人所接受。

提出假说

细胞膜结构模型的探索过程，反映了提出假说这一科学方法的作用。科学家首先根据已有的知识和信息提出解释某一生物学问题的一种假说，再用进一步的观察与实验对已建立的假说进行修正和补充。一种假说最终被接受或被否定，取决于它是否能与以后不断得到的观察和实验结果相吻合。

流动镶嵌模型的基本内容

流动镶嵌模型（fluid mosaic model）认为，细胞膜主要是由磷脂分子和蛋白质分子构成的。磷脂双分子层是膜

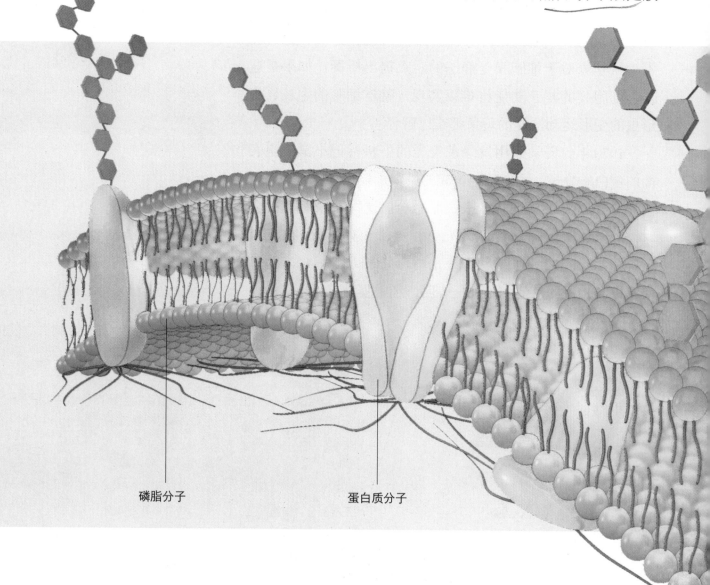

磷脂分子   蛋白质分子

的基本支架，其内部是磷脂分子的疏水端，水溶性分子或离子不能自由通过，因此具有屏障作用。蛋白质分子以不同方式镶嵌在磷脂双分子层中：有的镶在磷脂双分子层表面，有的部分或全部嵌入磷脂双分子层中，有的贯穿于整个磷脂双分子层（图3-5）。这些蛋白质分子在物质运输等方面具有重要作用。

细胞膜不是静止不动的，而是具有流动性，主要表现为构成膜的磷脂分子可以侧向自由移动，膜中的蛋白质大多也能运动。细胞膜的流动性对于细胞完成物质运输、生长、分裂、运动等功能都是非常重要的。

对细胞膜的深入研究发现，细胞膜的外表面还有糖类分子，它和蛋白质分子结合形成糖蛋白，或与脂质结合形成糖脂，这些糖类分子叫作糖被（glycocalyx）。糖被在细胞生命活动中具有重要的功能。例如，糖被与细胞表面的识别、细胞间的信息传递等功能有密切关系。

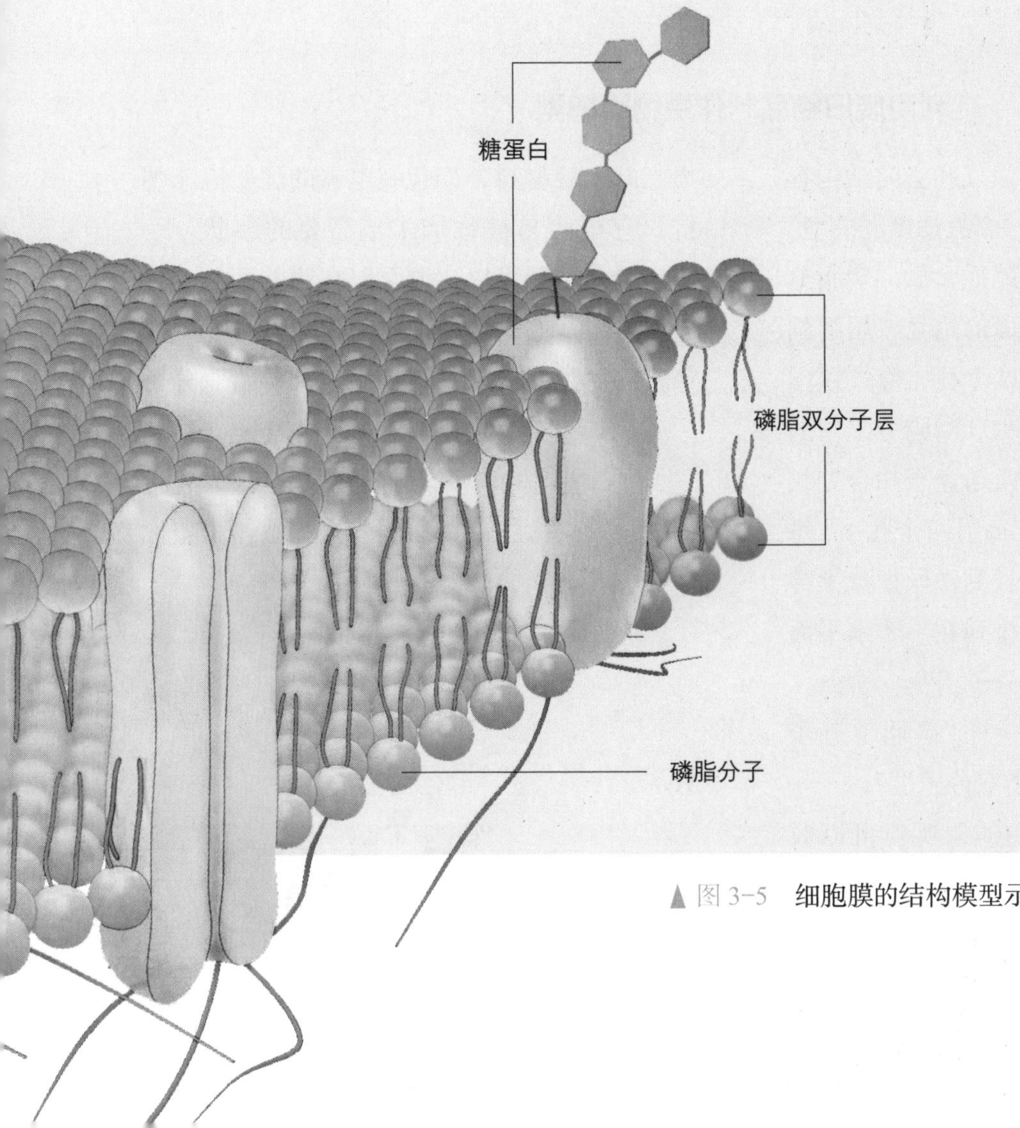

既然膜内部分是疏水的，水分子为什么能跨膜运输呢？

糖蛋白

磷脂双分子层

磷脂分子

▲ 图3-5　细胞膜的结构模型示意图

想象空间

发挥自己的空间想象能力，想象一个近似球形的细胞，其细胞膜的磷脂双分子层的三维立体结构。

一、概念检测

1. 基于对细胞膜结构和功能的理解，判断下列相关表述是否正确。

（1）构成细胞膜的磷脂分子具有流动性，而蛋白质是固定不动的。　　　　　　（　）

（2）细胞膜是细胞的一道屏障，只有细胞需要的物质才能进入，而对细胞有害的物质则不能进入。　　　　　　　　　　　　　（　）

（3）向细胞内注射物质后，细胞膜上会留下一个空洞。　　　　　　　　　　（　）

2. 细胞膜的特性和功能是由其结构决定的。下列相关叙述错误的是　　　　　　（　）

A. 细胞膜的脂质结构使溶于脂质的物质，容易通过细胞膜

B. 由于磷脂双分子层内部是疏水的，因此水分子不能通过细胞膜

C. 细胞膜的蛋白质分子有物质运输功能

D. 细胞的生长现象不支持细胞膜的静态结构模型

二、拓展应用

1. 在解释不容易理解的陌生事物时，人们常用类比的方法，将陌生的事物与熟悉的事物作比较。有人在解释细胞膜时，把它与窗纱进行类比：窗纱能把昆虫挡在外面，同时窗纱的小洞又能让空气进出。你认为这种类比有什么合理之处，有没有不妥当的地方？

2. 右下图是由磷脂分子构成的脂质体，它可以作为药物的运载体，将其运送到特定的细胞发挥作用。在脂质体中，能在水中结晶的药物被包在双分子层中，脂溶性的药物被包在两层磷脂分子之间。

（1）为什么两类药物的包裹位置各不相同？

（2）请推测：脂质体到达细胞后，药物将如何进入细胞内发挥作用？

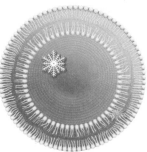

👥 **课外制作**

利用废旧物品制作生物膜模型

为了对生物膜的分子组成和空间结构有更形象的认识，不妨试做一个流动镶嵌模型。

用包裹中药丸的球形蜡质盒做"磷脂分子"的头部。去掉药盒表面的蜡壳，用解剖针在盒子两半的扣合处打两个孔，穿过铁丝或电线，使铁丝或电线成为"磷脂分子"的尾部。再在盒子扣合处以及与盒子扣合处相垂直的方向打上两组孔（每组两个孔）。每一个盒子都这样做。用较长的铁丝把盒子穿起来，并扣上两半盒子，排列在一个水平面上，这就做好了"磷脂单分子层"。

用同样的方法再做一个"磷脂单分子层"，这样就做成了"磷脂双分子层"。

用什么材料做"蛋白质"呢？可以收集废旧包装材料，如包装电器的硬质泡沫塑料，它很容易被你加工成需要的形状。一些"蛋白质"可以"漂浮"在膜的两侧，另一些可以"嵌入"或"贯穿"膜。可以用贯穿膜的"蛋白质"来帮助固定"磷脂双分子层"，穿铁丝的时候把它们穿上就是了。也许你有更好的材料或想法，希望你能尝试一下。

第2节
细胞器之间的分工合作

💬 **问题探讨**

C919飞机是我国研制的新一代大型客机。研制C919飞机需要若干部门分工合作，如整体研发设计、特种材料及工艺技术、机载系统研发（包括电缆、导管、发动机、座椅、座舱设备等）、总装制造等部门。

C919飞机

讨论

1. 如果缺少其中的某个部门，C919飞机还能制造成功吗？

2. 细胞中是否也具有多种不同的"部门"？这些"部门"也存在类似的分工与合作吗？

细胞在生命活动中时刻发生着物质和能量的复杂变化。细胞内部就像一个繁忙的工厂，在细胞质中有许多忙碌不停的"部门"，这些"部门"都有一定的结构，如线粒体、叶绿体、内质网、高尔基体、溶酶体、核糖体等，它们统称为细胞器（organelle）。细胞质中还有呈溶胶状的细胞质基质，细胞器就分布在细胞质基质中。

◎ **本节聚焦**

- 细胞内有哪些主要的细胞器？
- 细胞器是如何分工合作，共同完成细胞的生命活动的？
- 什么是生物膜系统？它具有什么功能？

细胞器之间的分工

细胞中各种细胞器的形态、结构不同，在功能上也各有分工（图3-6）。

⊛ **科学方法**

分离细胞器的方法——差速离心法

差速离心主要是采取逐渐提高离心速率分离不同大小颗粒的方法。如在分离细胞中的细胞器时，将细胞膜破坏后，形成由各种细胞器和细胞中其他物质组成的匀浆，将匀浆放入离心管中，采取逐渐提高离心速率的方法分离不同大小的细胞器。起始的离心速率较低，让较大的颗粒沉降到管底，小的颗粒仍然悬浮在上清液中。收集沉淀，改用较高的离心速率离心上清液，将较小的颗粒沉降，以此类推，达到分离不同大小颗粒的目的。

细胞壁　细胞壁位于植物细胞细胞膜的外面，主要由纤维素和果胶构成，对细胞起支持与保护作用。

细胞膜　细胞质　细胞核　核膜　核仁

内质网　内质网是蛋白质等大分子物质的合成、加工场所和运输通道。它由膜围成的管状、泡状或扁平囊状结构连接形成一个连续的内腔相通的膜性管道系统。有些内质网上有核糖体附着，叫粗面内质网；有些内质网上不含有核糖体，叫光面内质网。

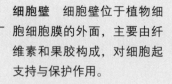

高尔基体　高尔基体主要是对来自内质网的蛋白质进行加工、分类和包装的"车间"及"发送站"。

液泡　液泡主要存在于植物的细胞中，内有细胞液，含糖类、无机盐、色素和蛋白质等，可以调节植物细胞内的环境，充盈的液泡还可以使植物细胞保持坚挺。

叶绿体　叶绿体是绿色植物能进行光合作用的细胞含有的细胞器，是植物细胞的"养料制造车间"和"能量转换站"。

▲ 图 3-6　植物细胞（左）和动物细胞（右）亚显微结构模式图

核糖体 核糖体有的附于粗面内质网上，有的游离在细胞质基质中，是"生产蛋白质的机器"。

细胞质　核仁　核膜　细胞核　细胞膜

线粒体 线粒体是细胞进行有氧呼吸的主要场所，是细胞的"动力车间"。细胞生命活动所需的能量，大约95%来自线粒体。

中心体 中心体分布在动物与低等植物细胞中，由两个互相垂直排列的中心粒及周围物质组成，与细胞的有丝分裂有关。

溶酶体 溶酶体主要分布在动物细胞中，是细胞的"消化车间"，内部含有多种水解酶，能分解衰老、损伤的细胞器，吞噬并杀死侵入细胞的病毒或细菌。

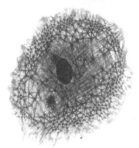

细胞质中的细胞器并不是漂浮于细胞质中的，细胞质中有着支持它们的结构——细胞骨架（图3-7）。细胞骨架是由蛋白质纤维组成的网架结构，维持着细胞的形态，锚定并支撑着许多细胞器，与细胞运动、分裂、分化以及物质运输、能量转化、信息传递等生命活动密切相关。

探究·实践

用高倍显微镜观察叶绿体和细胞质的流动

叶肉细胞中的叶绿体，散布于细胞质中，呈绿色、扁平的椭球或球形。可以在高倍显微镜下观察它的形态和分布。

活细胞中的细胞质处于不断流动的状态。观察细胞质的流动，可用细胞质基质中的叶绿体的运动作为标志。

目的要求

1. 使用高倍显微镜观察叶绿体的形态和分布。

2. 观察细胞质的流动，理解细胞质的流动是一种生命现象。

材料用具

藓类叶（或菠菜叶、番薯叶等），新鲜的黑藻。

显微镜，载玻片，盖玻片，滴管，镊子，刀片，培养皿，台灯，铅笔。

方法步骤

一、制作藓类叶片的临时装片并观察叶绿体的形态和分布

1. 用镊子取一片藓类的小叶（或者取菠菜叶稍带些叶肉的下表皮）放入盛有清水的培养皿中。

2. 往载玻片中央滴一滴清水，用镊子夹住所取的叶放入水滴中，盖上盖玻片。注意：临时装片中的叶片不能放干了，要随时保持有水状态。

3. 先用低倍镜找到需要观察的叶绿体，再换用高倍镜观察。仔细观察叶绿体的形态和分布情况。

二、制作黑藻叶片临时装片并观察细胞质的流动

1. 供观察用的黑藻，事先应放在光照、室温条件下培养。

2. 将黑藻从水中取出，用镊子从新鲜枝上取一片幼嫩的小叶，将小叶放在载玻片的水滴中，盖上盖玻片。

3. 先用低倍镜找到黑藻叶肉细胞，然后换用高倍镜观察。注意观察叶绿体随着细胞质流动的情况，仔细看看每个细胞中细胞质流动的方向是否一致。

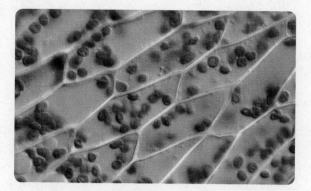

高倍显微镜下黑藻的叶绿体（放大 1000 倍）

讨论

1. 叶绿体的形态和分布，与叶绿体的功能有什么关系？

2. 植物细胞的细胞质处于不断流动的状态，这对于活细胞完成生命活动有什么意义？

细胞器之间的协调配合

细胞中有许多条"生产线"。每一条"生产线"都需要若干细胞器的相互配合。分泌蛋白的合成和运输就是个例子。

💡 **思考·讨论**

分泌蛋白的合成和运输

有些蛋白质是在细胞内合成后，分泌到细胞外起作用的，这类蛋白质叫作分泌蛋白，如消化酶、抗体和一部分激素等。科学家在研究分泌蛋白的合成和分泌时，做过这样一个实验。他们向豚鼠的胰腺腺泡细胞中

注射^{3}H标记的亮氨酸，3 min后，带有放射性标记的物质出现在附着有核糖体的内质网中；17 min后，出现在高尔基体中；117 min后，出现在靠近细胞膜内侧的运输蛋白质的囊泡中，以及释放到细胞外的分泌物中。

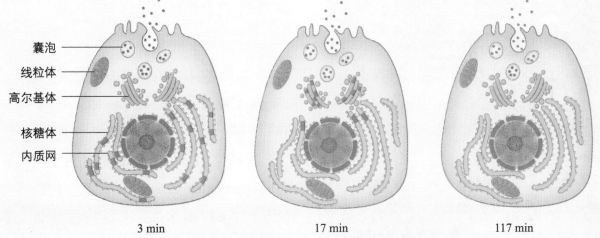

| 囊泡 |
| 线粒体 |
| 高尔基体 |
| 核糖体 |
| 内质网 |

3 min　　　　17 min　　　　117 min

豚鼠胰腺腺泡细胞分泌蛋白形成过程图解

（灰点代表未被标记的分泌蛋白，红点代表被标记的分泌蛋白）

讨论

1. 分泌蛋白是在哪里合成的？

2. 分泌蛋白从合成至分泌到细胞外，经过了哪些细胞器或细胞结构？尝试描述分泌蛋白合成和运输的过程。

3. 分泌蛋白合成和分泌的过程中需要能量吗？能量由哪里提供？

🞧 **科学方法**

同位素标记法

在同一元素中，质子数相同、中子数不同的原子为同位素，如^{16}O与^{18}O，^{12}C与^{14}C。同位素的物理性质可能有差异，但组成的化合物化学性质相同。用物理性质特殊的同位素来标记化学反应中原子的去向，就是同位素标记法。

同位素标记可用于示踪物质的运行和变化规律。通过追踪同位素标记的化合物，可以弄清楚化学反应的详细过程。生物学研究中常用的同位素有的具有放射性，如^{14}C、^{32}P、^{3}H、^{35}S等；有的不具有放射性，是稳定同位素，如^{15}N、^{18}O等。

分泌蛋白的合成过程大致是：首先，在游离的核糖体中以氨基酸为原料开始多肽链的合成。当合成了一段肽链后，这段肽链会与核糖体一起转移到粗面内质网上继续其合成过程，并且边合成边转移到内质网腔内，再经过加工、折叠，形成具有一定空间结构的蛋白质。内质网膜鼓出形成囊泡，包裹着

蛋白质离开内质网，到达高尔基体，与高尔基体膜融合，囊泡膜成为高尔基体膜的一部分。高尔基体还能对蛋白质做进一步的修饰加工，然后由高尔基体膜形成包裹着蛋白质的囊泡。囊泡转运到细胞膜，与细胞膜融合，将蛋白质分泌到细胞外（图3-8）。在分泌蛋白的合成、加工、运输的过程中，需要消耗能量。这些能量主要来自线粒体。

在细胞内，许多由膜构成的囊泡就像深海中的潜艇，在细胞中穿梭往来，繁忙地运输着"货物"，而高尔基体在其中起着重要的交通枢纽作用。

细胞的生物膜系统

在细胞中，许多细胞器都有膜，如内质网、高尔基体、线粒体、叶绿体、溶酶体等，**这些细胞器膜和细胞膜、核膜等结构，共同构成细胞的生物膜系统**（biomembrane system）。这些生物膜的组成成分和结构很相似，在结构和功能上紧密联系，进一步体现了细胞内各种结构之间的协调与配合。

生物膜系统在细胞的生命活动中作用极为重要。第一，细胞膜不仅使细胞具有一个相对稳定的内部环境，同时在细胞与外部环境进行物质运输、能量转化和信息传递的过程中起着决定性的作用。第二，许多重要的化学反应需要酶的参与，广阔的膜面积为多种酶提供了附着位点。第三，细胞内的生物膜把各种细胞器分隔开，如同一个个小的区室，这样使得细胞内能够同时进行多种化学反应，而不会互相干扰，保证了细胞生命活动高效、有序地进行（图3-9）。

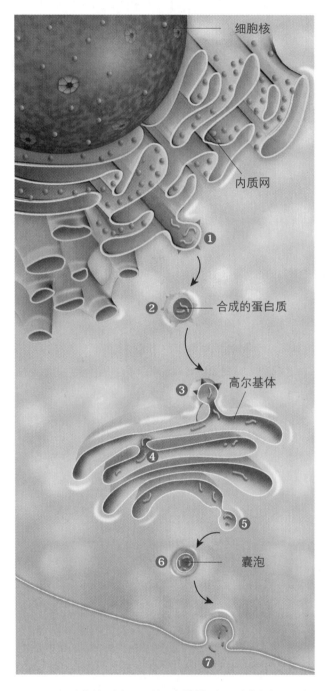

细胞核

内质网

① ② 合成的蛋白质

③ 高尔基体

④

⑤

⑥ 囊泡

⑦

▲ 图3-8　分泌蛋白运到细胞外的过程示意图
（①～⑦表示运输的顺序）

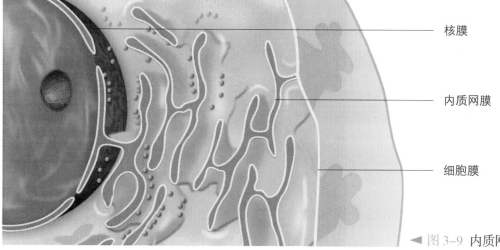

核膜

内质网膜

细胞膜

◀ 图3-9 内质网膜与细胞膜、核膜的联系

△△ **与社会的联系** 人工合成的膜材料已用于疾病的治疗。例如，当肾功能发生障碍时，由于代谢废物不能排出，病人会出现水肿、尿毒症。目前常用的治疗方法，是采用透析型人工肾替代病变的肾行使功能，其中起关键作用的血液透析膜就是一种人工合成的膜材料。当病人的血液流经人工肾时，血液透析膜就能把病人血液中的代谢废物透析掉，让干净的血液返回病人体内。

练习与应用

一、概念检测

1. 基于对细胞器的理解，判断下列相关表述是否正确。

（1）细胞质由细胞质基质和细胞器两部分组成。 （ ）

（2）生物膜系统由具膜结构的细胞器构成。 （ ）

2. 基于对动植物细胞结构的比较，可以判断水稻叶肉细胞和人口腔上皮细胞都有的细胞器是 （ ）

A. 高尔基体 　　 B. 叶绿体

C. 液泡 　　 D. 中心体

3. 在唾液腺细胞中，参与合成并分泌唾液淀粉酶的细胞器有 （ ）

A. 线粒体、中心体、高尔基体、内质网

B. 内质网、核糖体、叶绿体、高尔基体

C. 核糖体、内质网、高尔基体、线粒体

D. 内质网、核糖体、高尔基体、中心体

4. 在成人体内，心肌细胞中的数量显著多于腹肌细胞中数量的细胞器是 （ ）

A. 核糖体 　　 B. 线粒体

C. 内质网 　　 D. 高尔基体

5. 找出下图中的错误，并在图中改正。

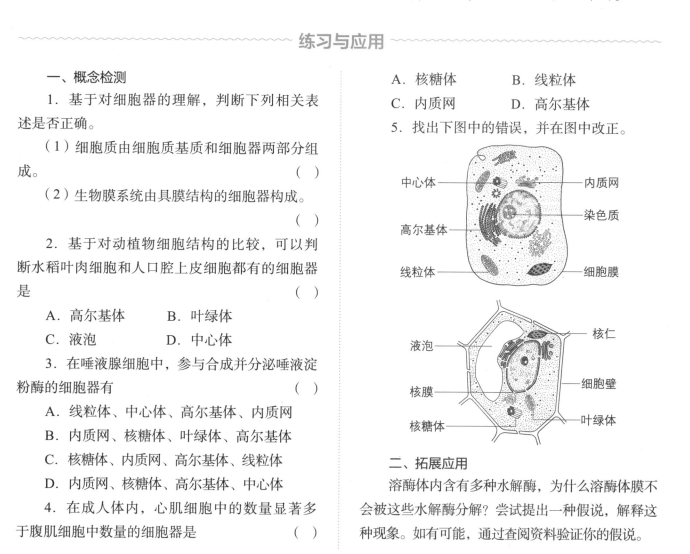

二、拓展应用

溶酶体内含有多种水解酶，为什么溶酶体膜不会被这些水解酶分解？尝试提出一种假说，解释这种现象。如有可能，通过查阅资料验证你的假说。

第3节
细胞核的结构和功能

💬 问题探讨

从母牛乙的体细胞中取出细胞核，注入母牛甲去核的卵细胞中，移植后的细胞经细胞分裂形成早期胚胎，将胚胎移植入母牛丙的子宫内。出生的小牛几乎与母牛乙的性状一模一样，称之为"克隆牛"。

讨论

克隆牛的性状与母牛乙几乎是一模一样的，这说明了什么？

母牛乙

克隆牛

~~~

◎ 本节聚焦

- 细胞核的结构和功能是怎样的？
- 为什么说细胞核是细胞的"控制中心"？
- 怎样制作真核细胞的三维结构模型？

用光学显微镜观察细胞，最容易注意到的一个结构就是细胞核（nucleus）。除了高等植物成熟的筛管细胞和哺乳动物成熟的红细胞等极少数细胞外，真核细胞都有细胞核。克隆牛的实例让我们看到了细胞核的重要性。细胞核究竟具有什么功能呢？

细胞核的功能

💡 **思考·讨论**

细胞核有什么功能

资料1 科学家用黑白两种美西螈（一种两栖动物）做实验，将黑色美西螈胚胎细胞的细胞核取出来，移植到白色美西螈的去核卵细胞中。移植后发育长大的美西螈，全部是黑色的。

资料2 科学家用头发将蝾螈的受精卵横缢为有核和无核的两半，中间只有很少的

细胞质相连。结果，有核的一半能分裂，无核的一半则停止分裂。当有核的一半分裂到16~32个细胞时，如果这时将一个细胞核挤到无核的一半，这一半也会开始分裂。最后两半都能发育成正常的胚胎，只是原来无核的一半发育得慢一些。

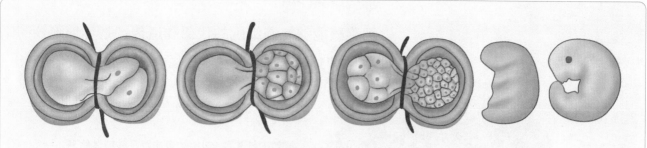

蝾螈受精卵横缢实验示意图

资料3 科学家做过这样的实验。将变形虫切成两半，一半有核，一半无核。无核的一半虽然能消化已吞噬的食物，但不能摄取食物，对外界刺激不再发生反应；电镜下可以观察到退化的高尔基体、内质网等。有核的一半情况则大不相同，照样摄食，对刺激仍有反应；失去的伸缩泡可以再生，还能生长和分裂。如果用显微钩针将有核的一半的细胞核钩出，这一半的行为就会像上述无核的一半一样。如果及时植入另一个同种变形虫的细胞核，各种生命活动又会恢复。

资料4 伞藻是一种单细胞生物，由"帽"、柄和假根三部分构成，细胞核在基部。科学家用伞形帽和菊花形帽两种伞藻做嫁接和核移植实验，如下图所示。

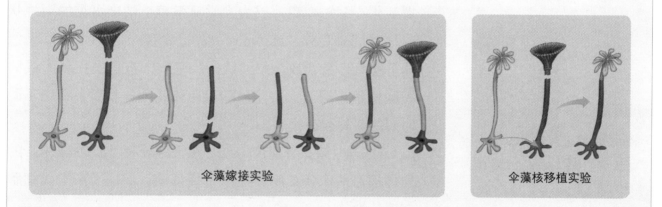

伞藻嫁接实验　　　　　　　　　　伞藻核移植实验

讨论

1. 美西螈的皮肤颜色与表皮细胞内黑色素的合成有什么关系？这一合成过程是由细胞核还是细胞质控制的？

2. 从资料2可以看出细胞核与细胞的分裂、分化有什么关系？

3. 分析资料3，你可以得出什么结论？

4. 资料4说明伞藻的形态结构特点取决于细胞核还是细胞质？

5. 结合克隆牛的实例，你认为生物体性状的遗传与细胞核有什么关系？克隆牛所有细胞的细胞核，是否都来源于母牛乙体细胞的细胞核？

6. 你认为细胞核具有什么功能？

　　大量的事实表明，**细胞核控制着细胞的代谢和遗传。**因此，有人把细胞核比喻为细胞的"大脑"、细胞的"控制中心"。细胞核为什么能成为细胞的"控制中心"呢？

细胞核的结构

细胞核能够控制细胞的代谢和遗传，是与细胞核的结构分不开的（图3-10）。

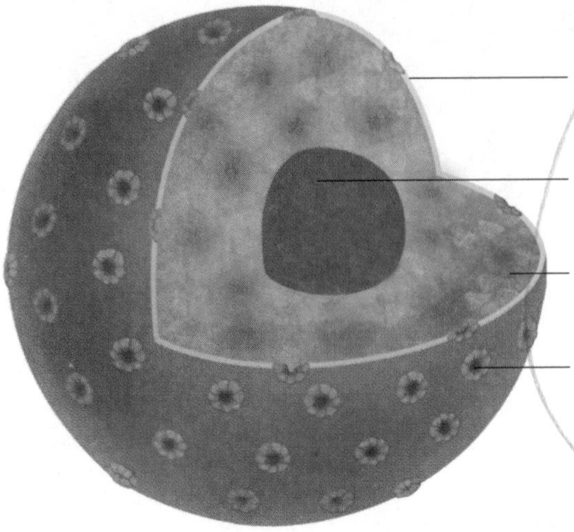

核膜（双层膜，把核内物质与细胞质分开）

核仁（与某种RNA的合成以及核糖体的形成有关）

染色质（主要由DNA和蛋白质组成，DNA是遗传信息的载体）

核孔（实现核质之间频繁的物质交换和信息交流）

▲图3-10　细胞核结构模式图

细胞核中有DNA。DNA和蛋白质紧密结合成染色质（chromatin）。染色质是极细的丝状物，因容易被碱性染料染成深色而得名。细胞分裂时，细胞核解体，染色质高度螺旋化，缩短变粗，成为光学显微镜下清晰可见的圆柱状或杆状的染色体（chromosome）。细胞分裂结束时，染色体解螺旋，重新成为细丝状的染色质，被包围在新形成的细胞核里。因此，**染色质和染色体是同一物质在细胞不同时期的两种存在状态**。

DNA上储存着遗传信息。在细胞分裂时，DNA携带的遗传信息从亲代细胞传递给子代细胞，保证了亲子代细胞在遗传性状上的一致性。

遗传信息就像细胞生命活动的"蓝图"，细胞依据这个"蓝图"，进行物质合成、能量转化和信息交流，完成生长、发育、衰老和凋亡。正是由于这张"蓝图"储藏在细胞核里，细胞核才具有控制细胞代谢的功能。

因此，对细胞核功能较为全面的阐述应该是：**细胞核是遗传信息库，是细胞代谢和遗传的控制中心**。

细胞作为基本的生命系统，其结构复杂而精巧；各组分之间分工合作成为一个统一的整体，使生命活动能够在变化的环境中自我调控、高度有序地进行。这是几十亿年进化的产物，是生物与环境长期相互作用的结果。细胞既是生物体结构的基本单位，也是生物体代谢和遗传的基本单位。

知识链接

有关DNA的知识参见本书第2章第5节和必修2《遗传与进化》第3章。

同一生物体内所有细胞的"蓝图"都是一样的吗？如果是一样的，为什么体内细胞的形态、结构和功能如此多样？

建构模型

模型是人们为了某种特定的目的而对认识对象所作的一种简化的概括性的描述，这种描述可以是定性的，也可以是定量的；有的借助于具体的实物或其他形象化的手段，有的则通过抽象的形式来表达。模型的形式很多，包括物理模型、概念模型、数学模型等。以实物或图画形式直观地表达认识对象的特征，这种模型就是物理模型。沃森和克里克制作的著名的DNA双螺旋结构模型，就是物理模型，它形象而概括地反映了DNA分子结构的共同特征。你下面将要制作的细胞模型是物理模型，需要尽量准确地概括真核细胞的特征。

探究·实践

尝试制作真核细胞的三维结构模型

目的要求

1. 尝试制作真核细胞的三维结构模型。

2. 体验建构模型的过程。

材料用具

根据本小组模拟制作模型的种类选择材料用具。例如，制作计算机三维动画模型，需要配备安装了制作三维动画软件的计算机；制作实物模型，可用泡沫塑料、木块、纸板、纸片、塑料袋、布、线绳、细铁丝、大头针等材料。有条件的学校，也可尝试用3D打印技术制作细胞模型。

建立模型

1. 通过讨论确定本小组制作的真核细胞三维结构模型的种类（如计算机模型、实物模型），规格（如模型大小、模型展示的是细胞的全部还是部分）。

2. 确定使用的材料用具。真实的细胞颜色并不鲜艳，但是同学们可以用不同的颜色区分不同的细胞结构，使细胞各部分的结构特点更突出，便于观察。

3. 在动手制作之前，小组内对设计方案做进一步讨论、细化，包括各种细胞结构如何制作、细胞结构之间如何连接等。确定制作模型的实施过程和具体分工。

4. 按照分工制作各部分配件，然后将配件组合在一起，逐步完成真核细胞模型的制作。

5. 按照设计方案对制作的模型进行检查，修补存在的缺陷。

表达和交流

在班内交流各小组制作的模型，从科学性、艺术性、成本等方面对各小组的模型进行评价。

! 在设计并制作细胞模型时，科学性应该是第一位的，其次才是模型的美观与否。

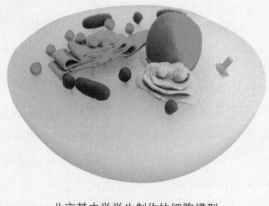

北京某中学学生制作的细胞模型

一、概念检测

1．细胞核的结构与功能有密切的联系，据此判断下列相关表述是否正确。

（1）控制细胞器进行物质合成、能量转化等的指令，主要通过核孔从细胞核送到细胞质。（　）

（2）细胞核功能的实现与细胞核中的染色质密切相关。　　　　　　　　　　　（　）

2．细胞核内行使遗传功能的结构是　（　）

A．核膜　　　　　B．核孔

C．染色质　　　　D．核仁

3．细胞核是细胞的控制中心，下列各项不能作为这一结论的论据的是　　　　　（　）

A．DNA主要存在于细胞核内

B．细胞核控制细胞的代谢和遗传

C．细胞核是遗传物质储存和复制的场所

D．细胞核位于细胞的正中央

二、拓展应用

1．染色体与染色质是同一种物质在细胞不同时期的两种存在状态。这两种不同的状态对于细胞的生命活动有什么意义？

2．有性生殖使雌雄两性生殖细胞的细胞核融合为一个新的细胞核，从而使后代的遗传物质同亲代相比，既有继承，又有变化。从这个角度看，你能找出不支持克隆人的论据吗？你还能说出其他论据吗？

⚙ 生物科技进展

世界上首例体细胞克隆猴的诞生

本书第1章开篇即介绍了世界上首例体细胞克隆猴在我国诞生，这是科学家首次成功地克隆出非人灵长类动物，意义非凡。这两只克隆猴名字叫"中中"和"华华"，寓"中华"之意。

自1996年第一只体细胞克隆羊"多莉"诞生以来，22年间，各国科学家竞相研究哺乳动物的体细胞克隆，并且在牛、鼠、猫、狗等多种哺乳动物上获得成功，但一直没有跨越灵长类动物这道屏障。实现克隆猴主要有三道难关需要攻克。一是卵母细胞的核遗传物质区域不易识别，去掉猴卵母细胞核遗传物质的难度很大，而要培育体细胞克隆猴，必须先把受体卵母细胞的核遗传物质"摘除"，才能让它容纳体细胞细胞核这个"外来户"。我国科学工作者借助于显微操作设备，反复练习，成功完成"去核"工作，为后续的克隆工作奠定了基础。二是卵母细胞"唤醒"时机难把握。克隆过程中，体细胞的细胞核进入卵母细胞时，需先"唤醒"卵母细胞，然后才启动一系列发育"程序"。因此，"唤醒"的时机要求非常精准。但是，使用传统方式，猴的卵母细胞很容易被提前"唤醒"，往往导致克隆"程序"无法正常启动。三是体细胞克隆胚胎的发育成功率低。被转移到去核卵母细胞里的细胞核，需要与去核卵母细胞紧密结合，融为一体，并发挥其正常的功能，因此需要科学家采取多种手段处理，否则，绝大多数克隆胚胎都难以正常发育。

克隆猴"中中"和"华华"

我国科学家攻克了这些难关，将克隆技术的应用推向了新的高度。克隆猴的诞生，标志着我国克隆技术走在了世界的最前列！

体细胞克隆猴成功了，克隆人是否离我们也就不远了？虽然从原理和技术层面看，克隆人是能够做到的，但是，克隆人会带来严重的社会和伦理问题，因此，我国政府明确禁止克隆人，我国科学家也坚决反对克隆人。

本章小结

理解概念

● 细胞作为基本的生命系统，具有系统的一般特征：有边界，有系统内各组分的分工合作，有控制中心起调控作用。

● 细胞的边界是细胞膜。细胞膜不仅把细胞与外界环境分隔开，还具有控制物质进出、进行细胞间信息交流等作用。

● 细胞膜主要由脂质和蛋白质组成，此外，还有少量的糖类。细胞膜的磷脂双分子层是膜的基本支架，具有流动性。蛋白质分子有的镶在磷脂双分子层表面，有的部分或全部嵌入磷脂双分子层中，有的贯穿于整个磷脂双分子层，其中大多数蛋白质分子都是能运动的。

● 细胞质中有线粒体、内质网、核糖体、高尔基体等细胞器，植物细胞有的有叶绿体。这些细胞器既有分工，又有合作。

● 细胞核由核膜、染色质、核仁等结构组成。它是遗传信息库，是细胞代谢和遗传的控制中心。

● 细胞膜、细胞器膜以及核膜在成分与结构上相似，在结构与功能上紧密联系，共同构成了生物膜系统。

发展素养

通过本章的学习，应在以下几方面得到发展。

● 阐明细胞各部分的结构与其功能相适应，强化结构与功能观。既能基于结构阐释功能，又能基于功能理解结构。

● 认同细胞各部分在结构和功能上的密切联系，使细胞成为一个有机的整体——基本的生命系统，强化系统观点。在以系统观理解细胞结构的基础上，尝试从系统的视角认识自然和社会。

● 从细胞器的分工合作联想到我们自己，类比阐释在一个集体中，每个人都各司其职同时又相互配合的重要性。

● 细胞膜结构的探索历程等内容说明，科学探索永无止境，科学理论是在不断修正的过程中建立和完善的，这需要探索精神、科学思维和技术手段的结合。对其他科学理论、假说和模型等，也应作如是观。

复习与提高

一、选择题

1. 下列各项表示细胞结构与其主要组成成分的对应关系，错误的是 （ ）

 A. 染色体——DNA

 B. 细胞膜——磷脂

 C. 细胞骨架——多糖

 D. 细胞壁——纤维素

2. 细胞内运输物质的具膜囊泡可以与细胞膜融合，由此可以推测囊泡膜的主要成分是 （ ）

 A. 脂肪和蛋白质

 B. 蛋白质和核酸

 C. 脂质和蛋白质

 D. 多糖和脂质

3. 白细胞可以吞噬病菌，这一事实说明细胞膜具有 （ ）

 A. 全透性

 B. 保护作用

 C. 选择透过性

 D. 一定的流动性

4. 下列对生物膜的叙述，不正确的是 （ ）

 A. 生物膜是细胞所有膜结构的统称

 B. 各种生物膜的化学组成与结构均相同

 C. 膜的组成成分可以从内质网转移到高尔基体膜，再转移到细胞膜

 D. 各种生物膜既各司其职，又相互协调，共同完成细胞的生命活动

5. 各种细胞器在功能上既有分工又有合作。下列相关叙述错误的是 （ ）

 A. 植物细胞中的液泡与维持细胞的渗透压有关

 B. 中心体和核糖体与蛋白质的合成有关

 C. 内质网和高尔基体与分泌蛋白的加工有关

 D. 叶绿体、线粒体与细胞内物质和能量的转化有关

6. 染色体的高度螺旋化与其物质组成有关。组成染色体的主要物质是 （ ）

 A. 蛋白质和DNA B. DNA和RNA

 C. 蛋白质和RNA D. DNA和脂质

二、非选择题

1. 请将下列动物细胞的结构和功能概念图补充完整。

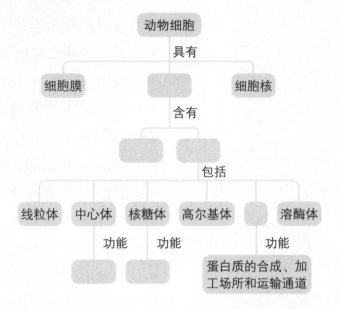

2. 细胞内的各种生物膜在结构上既有明确的分工，又有紧密的联系。结合下面关于溶酶体发生过程和"消化"功能的示意图，回答下列问题。

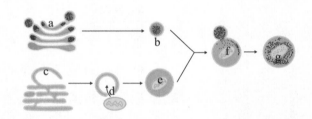

（1）b是刚形成的溶酶体，它来源于细胞器a；e是包裹着衰老细胞器d的小泡，而e的膜来源于细胞器c。由图示可以判断：a、c、d分别是_____。

（2）f表示b与e正在融合，这种融合过程反映了生物膜在结构上具有_____特点。

（3）细胞器a、b、c、d膜结构的主要成分是_____等。

（4）细胞器膜、_____等结构，共同构成细胞的生物膜系统。生物膜的研究具有广泛的应用价值，如可以模拟细胞膜的_____功能对海水进行淡化处理。

第4章
细胞的物质输入和输出

下面的文字摘自某高血压治疗药物说明书："本品为二氢吡啶类钙通道阻滞剂，抑制血管平滑肌和心肌细胞的跨膜钙离子内流，但以血管作用为主。本品引起冠状动脉、肾小动脉等全身血管的扩张，产生降压作用。"

许多药物都是针对细胞膜上物质运输的通道研发的，你知道这是为什么吗？

细胞是一个开放的系统，系统的边界——细胞膜不仅是将细胞内外隔开的屏障，也是控制物质进出细胞的门户。

细胞膜是怎样控制物质输入和输出的呢？不同的物质跨膜运输的方式一样吗？这与细胞膜的结构有什么关系呢？

掌控着道道闸门，驱动着各式舟车。
输入输出中忙碌，被动主动间选择。
生物大分子铸就，神奇的生命之膜。

第1节
被动运输

💬 问题探讨

在一个长颈漏斗的漏斗口外密封上一层玻璃纸，往漏斗内注入蔗糖溶液，然后将漏斗浸入盛有清水的烧杯中，使漏斗管内外的液面高度相等。过一段时间后，会出现如右图所示现象。

玻璃纸（又叫赛璐玢）是一种半透膜，水分子可以自由透过它，而蔗糖分子则不能。

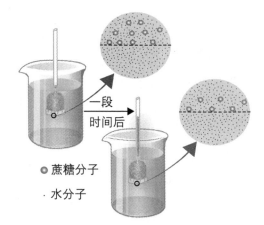

○ 蔗糖分子
· 水分子

渗透现象示意图

讨论

1. 漏斗管内的液面为什么会升高？如果漏斗管足够长，管内的液面会无限升高吗？为什么？

2. 如果用一层纱布代替玻璃纸，还会出现原来的现象吗？

3. 如果烧杯中不是清水，而是同样浓度的蔗糖溶液，结果会怎样？

◎ **本节聚焦**

● 细胞在什么情况下吸水或失水？

● 植物细胞的质壁分离与复原现象说明什么？

● 两种被动运输的方式有什么异同？

细胞生活在一个液体的环境中，细胞与环境的物质交换必须经过细胞膜。我们知道，细胞内外的物质含量有很大差别，这与细胞膜的功能有什么关系呢？不同物质的跨膜运输有什么不同的特点呢？

水是活细胞中含量最多的物质，让我们先来分析水是怎样进出细胞的。

水进出细胞的原理

将一滴红墨水滴入一杯清水中，清水很快就变成了红色，这是溶质分子在水中扩散的结果。"问题探讨"所展示的漏斗管内的液面之所以会上升，是烧杯中的溶剂——水分子通过半透膜向漏斗内扩散的结果。水分子（或其他溶剂分子）通过半透膜的扩散，称为渗透作用。如果半透膜两侧存在浓度差，渗透的方向就是水分子从水的相对含量高的一侧向相对含量低的一侧渗透。

水分子通过细胞膜进出细胞也是同样的原理吗？细胞膜是否相当于一层半透膜呢？

将哺乳动物的红细胞放入不同浓度的氯化钠溶液中，一段时间后，红细胞将会发生以下的变化（图4-1）。

当外界溶液的浓度比细胞质的浓度低时，细胞吸水膨胀。

当外界溶液的浓度比细胞质的浓度高时，细胞失水皱缩。

当外界溶液的浓度与细胞质的浓度相同时，细胞形态不变。

▲ 图 4-1　水进出哺乳动物红细胞的示意图

💡 **思考·讨论**

水进出哺乳动物红细胞的原理

分析图4-1所示水进出哺乳动物红细胞的现象。

讨论

1. 红细胞内的血红蛋白等有机物能够透过细胞膜吗？这些有机物相当于"问题探讨"所示装置中的什么物质？

2. 红细胞的细胞膜是否相当于一层半透膜？

3. 当外界溶液的浓度低时，红细胞一定会由于吸水而涨破吗？

4. 红细胞吸水或失水取决于什么条件？

5. 想一想临床上输液为什么要用生理盐水。

水进出其他动物细胞的原理与进出红细胞的原理是一样的，都是通过渗透作用。

水又是怎样进出植物细胞的呢？

我们知道，植物细胞的结构与动物细胞有明显的区别。植物细胞的细胞膜外面有一层细胞壁。研究表明，对于水分子来说，细胞壁是全透性的，即水分子可以自由地通过细胞壁，细胞壁的作用主要是保护和支持细胞，伸缩性比较小。成熟的植物细胞由于中央液泡占据了细胞的大部分空间（图4-2），将细胞质挤成一薄层，所以细胞内的液体环境主要指的是液泡里面的细胞液。细胞膜和液泡膜以及两层膜之间的细胞质称为原生质层。后文所说的水进出细胞，主要是指水经过原生质层进出液泡。

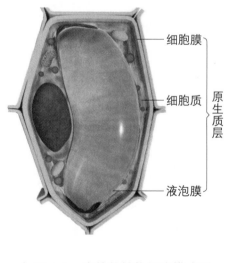

细胞膜

细胞质　原生质层

液泡膜

▲ 图 4-2　成熟的植物细胞模式图

探究植物细胞的吸水和失水

将有些萎蔫的菜叶浸泡在清水中，不久，菜叶就会变得硬挺。将白菜剁碎做馅时，常常要放一些盐，稍过一会儿就可见到有水分渗出。对农作物施肥过多，会造成"烧苗"现象。这些现象都说明，植物细胞也像动物细胞一样，会发生吸水或失水现象，吸水或失水同样与外界溶液的浓度有关。

提出问题

水分进出植物细胞是通过渗透作用吗？原生质层是否相当于一层半透膜？

作出假设

假设是对问题所作的尝试性回答。作假设不是凭空猜测，而是根据已有的知识和经验作出合理的推断。请结合上文介绍的植物细胞的结构特点和自己的生活经验，与本小组同学讨论这个问题的合理答案。

本小组的假设是＿＿＿＿＿＿＿＿＿

＿＿＿＿＿＿＿＿＿＿＿＿＿＿＿＿＿。

实验设计思路

设计实验时可以思考和讨论以下问题。

1．如果假设是正确的，当外界溶液的浓度高于细胞液的浓度时，细胞就会＿＿＿＿＿＿；当外界溶液的浓度低于细胞液的浓度时，细胞就会＿＿＿＿＿。

2．如何使细胞外溶液的浓度提高或降低？

3．如何看到细胞？需要用到什么材料和器具？

4．对实验结果作出预测——细胞失水或吸水后可能出现哪些可观察的变化？

参考案例

下面是可供参考的实验方案，或许可以帮你在细节上完善自己的实验设计。当然，你也可以对这个方案作出适当的修改。

材料用具

紫色的洋葱鳞片叶。

刀片，镊子，滴管，载玻片，盖玻片，吸水纸，显微镜。

质量浓度为 0.3 g/mL 的蔗糖溶液，清水。

方法步骤

1．选取新鲜洋葱鳞片叶，用刀片在外表皮上划一方框，用镊子撕下表皮。在洁净的载玻片上滴一滴清水，将撕下的表皮放在水滴中展平，盖上盖玻片，制成临时装片。

2．用低倍显微镜观察洋葱鳞片叶外表皮细胞中紫色的中央液泡的大小，以及原生质层的位置。

3．从盖玻片的一侧滴入蔗糖溶液，在盖玻片的另一侧用吸水纸引流。这样重复几次，洋葱鳞片叶表皮就浸润在蔗糖溶液中。

4．用低倍显微镜观察，看细胞的中央液泡是否逐渐变小，原生质层在什么位置，细胞大小是否变化。

5．在盖玻片的一侧滴入清水，在盖玻片的另一侧用吸水纸引流。这样重复几次，洋葱鳞片叶表皮又浸润在清水中。

6．用低倍显微镜观察，看中央液泡是否逐渐变大，原生质层的位置有没有变化，细胞的大小有没有变化。

进行实验，记录结果

按照实验方案进行实验，仔细观察，将结果记录在下表内。

外界溶液	中央液泡大小	原生质层的位置	细胞大小
蔗糖溶液			
清水			

通过上面的探究活动可以看出，植物细胞的原生质层相当于一层半透膜，植物细胞也是通过渗透作用吸水和失水的。当细胞液的浓度小于外界溶液的浓度时，细胞液中的水就透过原生质层进入外界溶液中，使细胞壁和原生质层都出现一定程度的收缩。当细胞不断失水时，由于原生质层比细胞壁的伸缩性大，原生质层就会与细胞壁逐渐分离开来，也就是逐渐发生了质壁分离。当细胞液的浓度大于外界溶液的浓度时，外界溶液中的水就透过原生质层进入细胞液中，整个原生质层就会慢慢地恢复成原来的状态，使植物细胞逐渐发生质壁分离的复原（图4-3）。

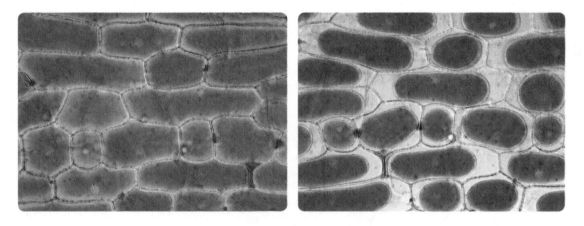

▲ 图4-3 植物细胞的质壁分离（左图表示刚开始发生质壁分离，右图表示已明显发生质壁分离；放大200倍）

像水分子这样，**物质以扩散方式进出细胞，不需要消耗细胞内化学反应所释放的能量，这种物质跨膜运输方式称为被动运输**（passive transport）。被动运输又分为自由扩散和协助扩散两类。

自由扩散和协助扩散

有些小分子物质，很容易自由地通过细胞膜的磷脂双分子层，如氧和二氧化碳。当肺泡内氧的浓度大于肺泡细胞内部氧的浓度时，氧便通过扩散作用进入肺泡细胞内部。细胞内由于呼吸作用使二氧化碳浓度升高时，二氧化碳便通过扩散作用排出细胞，进入细胞外液。甘油、乙醇、苯等脂溶性的小分子有机物也较易通过自由扩散进出细胞。像这样，**物质通过简单的扩散作用进出细胞的方式，叫作自由扩散**（free diffusion），也叫简单扩散（simple diffusion）。

离子和一些小分子有机物如葡萄糖、氨基酸等，不能自由地通过细胞膜。镶嵌在膜上的一些特殊的蛋白质，能够协助这些物质顺浓度梯度跨膜运输，这些蛋白质称为转运蛋白。**这种借助膜上的转运蛋白进出细胞的物质扩散方式，叫作协助扩散**（facilitated diffusion）（图 4-4），也叫易化扩散。

转运蛋白可以分为载体蛋白和通道蛋白两种类型。载体蛋白只容许与自身结合部位相适应的分子或离子通过，

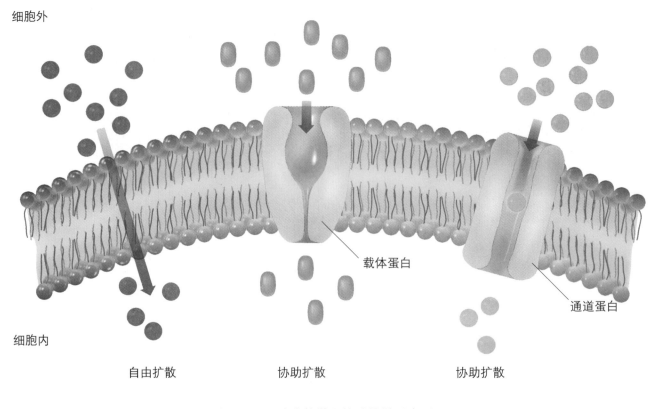

细胞外

细胞内

自由扩散　　　　　协助扩散　　　　　协助扩散

载体蛋白

通道蛋白

▲ 图 4-4　自由扩散和协助扩散示意图

而且每次转运时都会发生自身构象的改变；通道蛋白只容许与自身通道的直径和形状相适配、大小和电荷相适宜的分子或离子通过。分子或离子通过通道蛋白时，不需要与通道蛋白结合（图4-5）。

过去人们普遍认为，水分子都是通过自由扩散进出细胞的，但后来的研究表明，水分子更多的是借助细胞膜上的水通道蛋白以协助扩散方式进出细胞的。

由于自由扩散与协助扩散都是顺浓度梯度进行跨膜运输的，不需要消耗细胞内化学反应产生的能量，因此膜内外物质浓度梯度的大小会直接影响物质运输的速率，但协助扩散需要转运蛋白，因而某些物质运输的速率还与转运蛋白的数量有关。

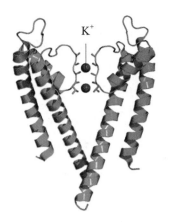

▲ 图4-5　钾离子通道模式图

~~~~~~~~~~~~~~~~ 练习与应用 ~~~~~~~~~~~~~~~~

一、概念检测

1．物质跨膜运输的方式与物质的特点和细胞膜的结构有关。判断下列有关物质跨膜运输的表述是否正确。

（1）细胞膜和液泡膜都相当于半透膜。（　）

（2）水分子进入细胞，是通过自由扩散方式进行的。（　）

（3）载体蛋白和通道蛋白在转运分子和离子时，其作用机制是一样的。（　）

2．基于对植物细胞质壁分离原理的理解判断，下列各项无法通过质壁分离实验证明的是（　）

A．成熟植物细胞的死活

B．原生质层比细胞壁的伸缩性大

C．成熟的植物细胞能进行渗透吸水

D．水分子可以通过通道蛋白进入细胞

3．假如将甲乙两个植物细胞分别放入蔗糖溶液和甘油溶液中，两种溶液的浓度均比细胞液的浓度高，在显微镜下连续观察，可以预测甲乙两细胞的变化是（　）

A．甲乙两细胞发生质壁分离后，不发生质壁分离复原

B．甲乙两细胞都发生质壁分离，但乙细胞很快发生质壁分离复原

C．只有乙细胞发生质壁分离，但不会发生质壁分离复原

D．甲乙两细胞发生质壁分离，随后都很快发生质壁分离复原

二、拓展应用

1．细胞液中物质的浓度对于维持细胞的生命活动非常重要。现提供紫色洋葱鳞片叶表皮细胞，请设计实验，测定该细胞的细胞液的浓度相当于多少质量分数的蔗糖溶液。写出你的实验思路，并分析其中的基本原理。

2．温度变化会影响水分通过半透膜的扩散速率吗？请你提出假设，并设计检验该假设的实验方案。

人类对通道蛋白的探索历程

通过前面的学习已经知道，在水和离子的跨膜运输中，通道蛋白发挥着重要作用。不过，认识到细胞膜中有通道蛋白却非易事。

水分子比较小，人们曾经认为它们可以自由穿过细胞膜的分子间隙而进出细胞。后来，有人发现在动物肾脏内，水分子的跨膜运输速率远大于自由扩散的速率。1950年，科学家在用氢的同位素标记的水分子进行研究时，发现水分子在通过细胞膜时的速率高于通过人工膜。此后，类似的实验结果不时公之于众。科学家由此推断细胞中存在特殊的输送水分子的通道，但是并没有真正鉴定出水通道到底是由什么物质构成的。直到1988年，美国科学家阿格雷（P. Agre）才成功地将构成水通道的蛋白质分离出来，证实了水通道蛋白的存在。在阿格雷发表相关研究成果之后，许多科学家开展了对细胞膜上水通道蛋白的研究，获得了丰硕成果。目

前，人们已经从细菌、酵母、植物、动物的细胞中分离出多种水通道蛋白。在人类细胞中已发现了13种水通道蛋白，如肾小球的滤过作用和肾小管的重吸收作用，都与水通道蛋白的结构和功能有直接关系。在拟南芥的细胞中已发现35种水通道蛋白。

钾、钠、钙等是细胞生活必需的，但这些无机离子带有电荷，不能通过自由扩散穿过磷脂双分子层。这些物质是通过细胞膜上的离子通道进行运输的。当然，这一认识并不是自古就有，而是到20世纪末期才逐渐变得清晰起来的。

20世纪60年代，科学家提出在植物细胞中存在钾离子的通道。由于缺乏有效的研究工具，人们仍然无法确证这一观点。1976年，德国科学家内尔和萨克曼创造了研究单个离子通道电生理学特征的膜片钳法（他们因这一发明获得了1991年的诺贝尔生理学或医学奖），为离子通道的研究提供了有效的工具。20世纪80年代，科学家从蚕豆保卫细胞中检测出钾离子的通道。不过，这时人们仍然不清楚离子通道的结构。直到1998年，美国科学家麦金农（R. Mackinon）才解析了钾离子通道蛋白的立体结构。2003年10月8日，阿格雷和麦金农同时获得了诺贝尔化学奖。

与此同时，许多科学家前赴后继，进一步解析了钙离子、钠离子等离子的通道蛋白结构。目前，仍有众多的科学家在开展通道蛋白的研究，进一步揭示通道蛋白的作用机制，探索调控通道蛋白的药物，以治疗疾病，维护人类健康。

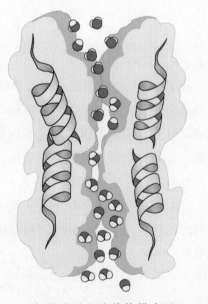

水通道蛋白的结构模式图

第2节
主动运输与胞吞、胞吐

💬 问题探讨

人体甲状腺分泌的甲状腺激素，在生命活动中起着重要作用。碘是合成甲状腺激素的重要原料。甲状腺滤泡上皮细胞内碘浓度比血液中的高20~25倍。

讨论

1. 甲状腺滤泡上皮细胞吸收碘是通过被动运输吗？

2. 联想逆水行舟的情形，甲状腺滤泡上皮细胞吸收碘是否需要细胞提供能量？

3. 这在各种物质的跨膜运输中是特例还是有一定的普遍性？

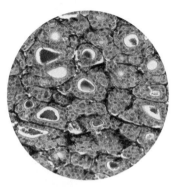

甲状腺滤泡上皮细胞

无论是植物细胞、动物细胞还是微生物细胞，都有许多物质的跨膜运输是逆浓度梯度的。例如，小肠液中氨基酸、葡萄糖的浓度远远低于它们在小肠上皮细胞中的浓度，但它们仍然能被小肠上皮细胞吸收；人红细胞中K^+的浓度比血浆高30倍；轮藻细胞中K^+的浓度比周围水环境高63倍。这些物质为什么能逆浓度梯度运输呢？

主动运输

Na^+、K^+和Ca^{2+}等离子和其他物质在逆浓度梯度跨膜运输时，首先要与膜上载体蛋白的特定部位结合。由于不同离子或分子的大小和性质不同，不同蛋白质的空间结构差别也很大，所以一种载体蛋白通常只适合与一种或一类离子或分子结合。离子或分子与载体蛋白结合后，在细胞内化学反应释放的能量推动下，载体蛋白的空间结构发生变化，就将它所结合的离子或分子从细胞膜一侧转运到另一侧并释放出来，载体蛋白随后又恢复原状，又可以去转运同种物质的其他离子或分子。像这样，**物质逆浓度梯度进行跨膜运输，需要载体蛋白的协助，同时还需要消耗细胞内化学反应所释放的能量，这种方式叫作主动运输**（active transport）（图4-6）。

◎ **本节聚焦**

● 主动运输与被动运输的区别是什么？这对于细胞的生活有什么意义？

● 胞吞、胞吐有什么特点？对于细胞的生命活动有什么意义？

● 物质跨膜运输的方式与细胞膜的结构有什么关系？

知识链接 《《《《《《《《《《《《《《《《《《《《《《

图中 ATP 水解为 ADP 和 Pi 时放能，供主动运输利用。请参见本书第5章第2节。

主动运输普遍存在于动植物和微生物细胞中，通过主动运输来选择吸收所需要的物质，排出代谢废物和对细胞有害的物质，从而保证细胞和个体生命活动的需要。

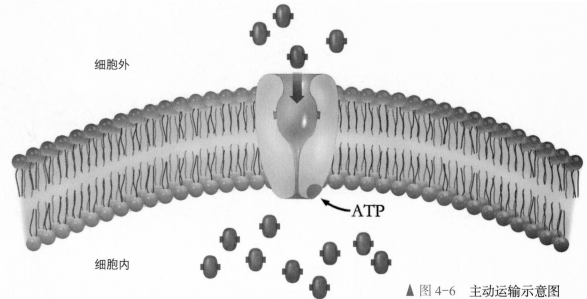

▲ 图4-6 主动运输示意图

△△ **与社会的联系** 囊性纤维化发生的一种主要原因是，患者肺部支气管上皮细胞表面转运氯离子的载体蛋白的功能发生异常，导致患者支气管中黏液增多，造成细菌感染。这一发现给囊性纤维化的治疗带来了新的希望。请你通过搜集资料，了解与物质跨膜运输有关的疾病的研究进展。

胞吞与胞吐

转运蛋白虽然能够帮助许多离子和小的分子通过细胞膜，但是，对于像蛋白质和多糖这样的生物大分子的运输却无能为力。

变形虫摄取水中的有机物颗粒，就需要解决大分子物质进入细胞的问题（图4-7）。

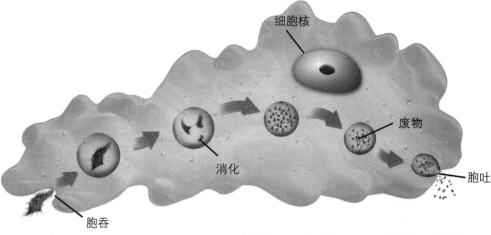

▲ 图4-7 变形虫的胞吞和胞吐示意图

乳腺细胞合成的蛋白质、内分泌腺分泌细胞合成的蛋白质类激素、消化腺细胞分泌的消化酶，都需要排出细胞外。其实，大部分细胞都能够摄入和排出特定的大分子物质。这些大分子是怎样进出细胞的呢？

当细胞摄取大分子时，首先是大分子与膜上的蛋白质结合，从而引起这部分细胞膜内陷形成小囊，包围着大分子。然后，小囊从细胞膜上分离下来，形成囊泡，进入细胞内部，这种现象叫胞吞（endocytosis）。细胞需要外排的大分子，先在细胞内形成囊泡，囊泡移动到细胞膜处，与细胞膜融合，将大分子排出细胞，这种现象叫胞吐（exocytosis）（图4-8）。在物质的跨膜运输过程中，胞吞、胞吐是普遍存在的现象，它们也需要消耗细胞呼吸所释放的能量。

相关信息

胞吞形成的囊泡，在细胞内可以被溶酶体降解。

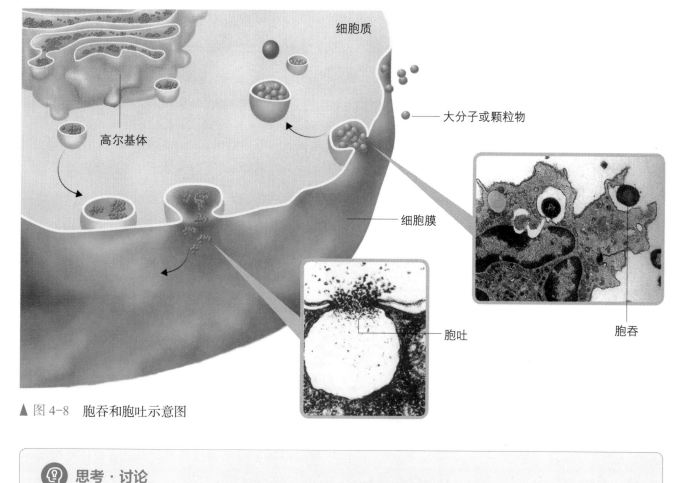

▲ 图4-8　胞吞和胞吐示意图

💡 **思考·讨论**

胞吞、胞吐过程的特点及意义

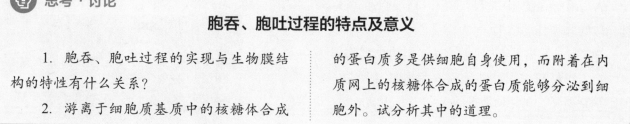

1. 胞吞、胞吐过程的实现与生物膜结构的特性有什么关系？

2. 游离于细胞质基质中的核糖体合成的蛋白质多是供细胞自身使用，而附着在内质网上的核糖体合成的蛋白质能够分泌到细胞外。试分析其中的道理。

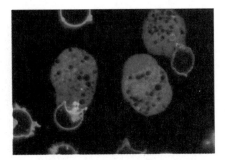

痢疾内变形虫吞噬人体细胞
（放大500倍，图中的绿色
荧光细胞为痢疾内变形虫）

与社会的联系 变形虫既能通过胞吞摄取单细胞生物等食物，又能通过胞吐排出食物残渣和废物。在人体肠道内寄生的一种变形虫——痢疾内变形虫，能通过胞吐作用分泌蛋白分解酶，溶解人的肠壁组织，通过胞吞作用"吃掉"肠壁组织细胞，并引发阿米巴痢疾。这种病原体通过饮食传播，注意个人饮食卫生、加强公共卫生建设是预防阿米巴痢疾的关键措施。

综上所述，除一些不带电荷的小分子可以自由扩散的方式进出细胞外，离子和较小的有机分子（如葡萄糖和氨基酸等）的跨膜运输必须借助于转运蛋白，这又一次体现了蛋白质是生命活动的承担者。一种转运蛋白往往只适合转运特定的物质，因此，细胞膜上转运蛋白的种类和数量，或转运蛋白空间结构的变化，对许多物质的跨膜运输起着决定性的作用，这也是细胞膜具有选择透过性的结构基础。像蛋白质这样的生物大分子，通过胞吞或胞吐进出细胞，其过程也需要膜上蛋白质的参与，更离不开膜上磷脂双分子层的流动性。

练习与应用

一、概念检测

1. 一种物质进行跨膜运输的方式与该物质的分子大小等性质有关。判断下列有关物质跨膜运输的相关表述是否正确。

（1）相对分子质量小的物质或离子都可以通过自由扩散进入细胞内。 （ ）

（2）大分子有机物要通过转运蛋白的作用才能进入细胞内，并且要消耗能量。 （ ）

（3）被动运输都是顺浓度梯度进行的，既不需要消耗能量，也不需要借助膜上的转运蛋白。（ ）

（4）主动运输都是逆浓度梯度进行的，既要消耗细胞的能量，也需要借助膜上的载体蛋白。（ ）

2. 下列有关物质跨膜运输的叙述，错误的是 （ ）

A. 果脯在腌制中慢慢变甜，是细胞通过主动运输吸收糖分的结果

B. 脂溶性物质较易通过自由扩散进出细胞

C. 葡萄糖进入红细胞需要借助转运蛋白，但不消耗能量，属于协助扩散

D. 大肠杆菌吸收K^+既消耗能量，又需要借助膜上的载体蛋白，属于主动运输

3. 细胞内的生物大分子（如胃蛋白酶原）运出细胞的方式是 （ ）

A. 胞吐 B. 自由扩散

C. 协助扩散 D. 被动运输

二、拓展应用

1. 淡水中生活的原生动物，如草履虫，能通过伸缩泡排出细胞内过多的水，以防止细胞涨破。如果将草履虫放入蒸馏水或海水中，推测其伸缩泡的伸缩情况，分别会发生什么变化？

2. 柽柳（见下图）是强耐盐植物，它的叶子和嫩枝可以将吸收到植物体内的无机盐排出体外。柽柳的根部吸收无机盐离子是主动运输还是被动运输？如果要设计实验加以证明，请说出实验思路。

本章小结

理解概念

● 细胞中物质的输入和输出都必须经过细胞膜。细胞膜既是将细胞内部与外界分隔开的屏障，也是细胞与外界进行物质交换的门户。

● 红细胞吸水和失水的现象、植物细胞质壁分离及其复原的实验，说明细胞可以通过渗透作用吸水或失水，而渗透作用就是水分子通过半透膜的扩散，这就说明水可以通过扩散的方式进出细胞。动物细胞的细胞膜、植物细胞的原生质层都相当于一层半透膜。

● 细胞膜其实与半透膜是有区别的。除水以外，还有许多离子或分子也能通过细胞膜，只是通过的速率和方式不同而已。一些不带电荷的无机小分子和脂溶性的有机小分子可以通过自由扩散的方式进出细胞。离子和一些较小的有机分子的跨膜运输必须借助于转运蛋白。

● 转运蛋白包括载体蛋白和通道蛋白两类。借助载体蛋白或通道蛋白顺浓度梯度运输的，不需要细胞提供能量，叫作协助扩散。水分子的跨膜运输既可以通过自由扩散，也可以借助通道蛋白进行协助扩散。

● 自由扩散和协助扩散都是顺浓度梯度运输，都不需要细胞提供能量，因此属于被动运输。

● 借助载体蛋白逆浓度梯度运输，需要细胞提供能量的运输方式称为主动运输。

● 蛋白质和多糖等有机大分子由于分子太大，靠转运蛋白无法运输，它们进出细胞则通过胞吞或胞吐。

发展素养

通过本章的学习，应在以下几方面得到发展。

● 基于细胞膜的选择透过性，认同生命的自主性，从而更深刻地理解生命的本质。

● 能够运用物质跨膜运输的知识，解释生活中常见的生物学现象，分析和解决诸如蔬菜腌制、合理施肥等实践问题。

● 基于探究水进出植物细胞的原理这一实验，体验科学探究的一般过程，提高动手操作能力和设计实验的能力，并能运用到其他类似的科学探究活动中。

复习与提高

一、选择题

1. 将发生质壁分离的紫色洋葱鳞片叶外表皮细胞置于清水中，发生的变化是 （ ）

　A．液泡的颜色逐渐变浅

　B．细胞吸水直至涨破

　C．原生质层逐渐增厚

　D．细胞体积明显增大

2. 将刚萎蔫的菜叶放入清水中，菜叶细胞含水量能够得到恢复的主要原因是 （ ）

　A．自由扩散和协助扩散

　B．主动运输和胞吞

　C．自由扩散和主动运输

　D．协助扩散和主动运输

3. 下列物质通过细胞膜时需要载体蛋白的是 （ ）

　A．水进入根毛细胞

　B．氧进入肺泡细胞

　C．K^+ 被吸收进入小肠绒毛上皮细胞

　D．二氧化碳进入毛细血管

4. 红苋菜的叶肉细胞中含有花青素。若将红苋菜叶片放在清水中，水的颜色无明显变化；若对其进行加热，随着水温升高，水的颜色逐渐变成红色，其原因是 （ ）

　A．花青素在水等无机溶剂中难以溶解

　B．水温升高使花青素的溶解度增大

　C．加热使细胞壁失去了选择透过性

　D．加热使叶肉细胞的生物膜被破坏

二、非选择题

1. 完成下面有关物质进出细胞方式的概念图。

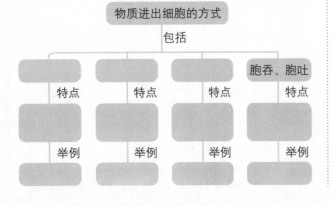

2. 下图表示的是一个动物细胞内外不同离子的相对浓度。据图回答问题。

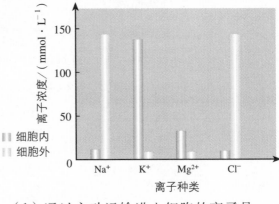

（1）通过主动运输进入细胞的离子是＿＿，你作出判断的依据是＿＿＿＿＿＿。

（2）通过主动运输排出细胞的离子是＿＿，你作出判断的依据是＿＿＿＿＿＿。

3. 用物质的量浓度为 $2\ mol \cdot L^{-1}$ 的乙二醇溶液和 $2\ mol \cdot L^{-1}$ 的蔗糖溶液分别浸泡某种植物细胞，观察细胞的质壁分离现象，得到其原生质体体积变化情况如下图所示。回答问题。

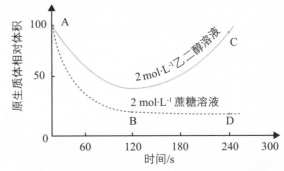

（1）原生质体体积 A→B 段的变化说明：在该段时间内水从原生质体＿＿＿＿＿＿，细胞液的浓度＿＿＿＿＿＿。

（2）在 1 min 后，处于 $2\ mol \cdot L^{-1}$ 蔗糖溶液中细胞的细胞液的浓度将＿＿＿＿，此时，在细胞壁与原生质层之间充满了＿＿＿＿溶液。要使该细胞快速复原，应将其置于＿＿＿＿中。

（3）在 2 min 后，处于 $2\ mol \cdot L^{-1}$ 乙二醇溶液中细胞的原生质体体积的变化是由于＿＿＿＿逐渐进入细胞内，引起细胞液的浓度＿＿＿＿。

（4）并不是该植物的所有活细胞都能发生质壁分离，能发生质壁分离的细胞还必须具有＿＿＿＿等结构特点。

第5章
细胞的能量供应和利用

炎炎烈日之下，岩石变得很烫，这是因为照射在岩石上的光能转变成热能，而组成岩石的分子并未发生化学变化。岩石旁边的植物同样遭到暴晒，却并未变得发烫。是不是植物不吸收光能呢？当然不是。植物的叶片不但能吸收光能，而且能通过光合作用，将一部分光能转变成储存在有机物中的化学能。

细胞的生命活动是需要能量来驱动的。太阳能是几乎所有生命系统中能量的最终源头。外界能量进入细胞，并为细胞所利用，都要经过复杂的化学反应。

细胞是如何通过化学反应来获取和利用能量的呢？

新叶伸向和煦的阳光，
蚱蜢觊觎绿叶的芬芳。
它们为生存而获取能量，
能量在细胞里流转激荡！

第1节
降低化学反应活化能的酶

💬 问题探讨

1773年，意大利科学家斯帕兰札尼（L. Spallanzani，1729—1799）做了一个巧妙的实验：将肉块放入小巧的金属笼内，然后让鹰把小笼子吞下去。过一段时间后，他把小笼子取出来，发现笼内的肉块消失了。

讨论

1. 为什么要将肉块放在金属笼内？
2. 是什么物质使肉块消失了？
3. 怎样才能证明你的推测？

斯帕兰札尼在研究鹰的
消化作用

一 酶的作用和本质

◎ **本节聚焦**

● 细胞代谢为什么离不开酶？

● 酶是什么物质？

● 通过对酶本质的探索过程的分析，你对科学是怎样发展的有哪些领悟？

斯帕兰札尼的实验说明，食物在胃中的消化，靠的是胃液中的某种物质。然而这种物质是什么，他始终未能得出结论。后来，科学家发现胃液中含有大量的盐酸，于是推测盐酸是使食物分解的物质。1835年，德国科学家施旺通过实验发现，胃腺分泌物中有一种物质，将它与盐酸混合后，对肉类的分解能力远远大于盐酸的单独作用，这种物质就是胃蛋白酶。

随着对细胞研究的不断深入，人们认识到，细胞的生活需要物质和能量。能量的释放、储存和利用，都必须通过化学反应来实现。**细胞中每时每刻都进行着许多化学反应，统称为细胞代谢**（cellular metabolism）。细胞代谢离不开酶（enzyme）。

酶在细胞代谢中的作用

细胞代谢是细胞生命活动的基础，但细胞代谢中也会产生代谢废物，甚至会产生对细胞有害的物质，如过氧化氢。幸而细胞中含有另一种物质，能将过氧化氢及时分解为氧气和水，这种物质就是过氧化氢酶。下面我们就以过氧化氢在不同条件下的分解为例，探究酶的作用。

比较过氧化氢在不同条件下的分解

新鲜肝脏中有较多的过氧化氢酶。经计算，质量分数为3.5%的$FeCl_3$溶液和质量分数为20%的肝脏研磨液相比，每滴$FeCl_3$溶液中的Fe^{3+}数，大约是每滴研磨液中过氧化氢酶分子数的25万倍。

目的要求

通过比较过氧化氢在不同条件下分解的快慢，了解过氧化氢酶的作用。

材料用具

新鲜的质量分数为20%的肝脏（如猪肝、鸡肝）研磨液。

量筒，试管，滴管，试管架，卫生香，火柴，酒精灯，试管夹，大烧杯，三脚架，陶土网，温度计。

新配制的体积分数为3%的过氧化氢溶液，质量分数为3.5%的$FeCl_3$溶液。

方法步骤

1. 取4支洁净的试管，分别编上序号1、2、3、4，向各试管内分别加入2 mL过氧化氢溶液，按序号依次放置在试管架上。

2. 将2号试管放在90 ℃左右的水浴中加热，观察气泡冒出的情况，并与1号试管作比较。

3. 向3号试管内滴入2滴$FeCl_3$溶液，向4号试管内滴入2滴肝脏研磨液，仔细观察，并记录实验结果。

4. 立即将点燃的卫生香分别放入3号和4号试管内液面的上方，仔细观察，并记录实验结果。

讨论

1. 与1号试管相比，2号试管出现什么不同的现象？这一现象说明什么？

2. 在细胞内，能通过加热来提高反应速率吗？

3. 3号和4号试管未经加热，也有大量气泡产生，这说明什么？

4. 3号试管与4号试管相比，哪支试管中的反应速率快？这说明什么？为什么说酶对于细胞内化学反应的顺利进行至关重要？

结论

通过对实验结果的分析和讨论，你对于酶的作用形成了哪些认识？请将结论写下来。

本实验的结论：_____
_____
_____。

控制变量和设计对照实验

实验过程中的变化因素称为变量。其中人为控制的对实验对象进行处理的因素叫作自变量，上述实验中加热、加$FeCl_3$溶液、加肝脏研磨液，是对过氧化氢溶液的不同处理，温度和催化剂都属于自变量；因自变量改变而变化的变量叫作因变量，上述实验中过氧化氢分解速率就是因变量。除自变量外，实验过程中还存在一些对实验结果造成影响的可变因素，叫作无关变量。

如上述实验中反应物的浓度和反应时间等。除作为自变量的因素外，其余因素（无关变量）都保持一致，并将结果进行比较的实验叫作对照实验。

对照实验一般要设置对照组和实验组，上述实验中的1号试管就是对照组，2号、3号和4号试管是实验组。本实验的对照组未作任何处理，这样的对照组叫作空白对照。想一想，设置这样的对照组有什么意义？

加热能促进过氧化氢分解，是因为加热使过氧化氢分子得到了能量，从常态转变为容易分解的活跃状态。**分子从常态转变为容易发生化学反应的活跃状态所需要的能量称为活化能**（activation energy）。

Fe^{3+}和过氧化氢酶能促进过氧化氢分解，它们没有给过氧化氢分子提供能量，而是降低了过氧化氢分解反应的活化能。如果把化学反应比作驾车翻越一座高山，"加热"相当于给汽车加大油门，用催化剂则相当于帮司机找到穿山的隧道。**与无机催化剂相比，酶降低活化能的作用更显著，催化效率更高**（图5-1）。

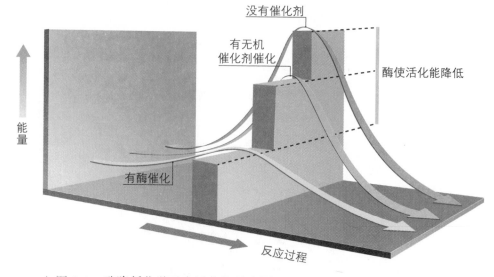

▲ 图5-1 酶降低化学反应活化能示意图

正是由于酶的催化作用，细胞代谢才能在温和条件下快速有序地进行。

酶的本质

酶到底是什么物质呢？19世纪以前，人们还不知道酶为何物。19世纪以后，随着对酿酒中发酵过程的深入研究，科学家才逐渐揭开了酶的"面纱"。

💡 思考·讨论

关于酶本质的探索

我国早在4 000多年前的夏禹时代，就掌握了酿酒技术。1716年《康熙字典》收录了酶字，并将"酶"解释为"酒母也"。"酒母"就是现在所说的酵母。

19世纪，酿酒业在欧洲经济中占有重要地位。但是，酿出的葡萄酒经常莫名其妙地变酸。受这一问题困扰，科学界非常重视对发酵过程的研究。当时人们已经知道，酿酒就是让糖类通过发酵变成酒精和二氧化碳。糖类是怎么变成酒精的呢？许多化学家都相信这是一个纯化学过程，与生命活动无关。

1857年，法国微生物学家巴斯德（L. Pasteur，1822—1895）通过显微镜观察，提出酿酒中的发酵是由酵母菌细胞的存在所致，没有活细胞的参与，糖类是不可能变成酒精的。德国化学家李比希（J. V. Liebig，1803—1873）却坚持认为引起发酵的是酵母菌细胞中的某些物质，但这些物质只有在酵母菌细胞死亡并裂解后才能发挥作用。两种观点争执不下。

巴斯德在显微镜下观察到酵母菌细胞

结束这一争论的是德国化学家毕希纳（E. Buchner，1860—1917）。他把酵母菌细胞放在石英砂中用力研磨，加水搅拌，再进行加压过滤，得到不含酵母菌细胞的提取液。在这些汁液中加入葡萄糖，一段时间后就冒出气泡，糖液居然变成了酒。这一结果与糖液中含有活酵母菌细胞是一样的。他将酵母菌细胞中引起发酵的物质称为酿酶。

毕希纳实验示意图

毕希纳虽然从细胞中获得了含有酶的提取液，但是提取液中还含有许多其他物质，无法直接对酶进行鉴定。有些科学家推测酶是蛋白质，并试图将酶从提取液中分离出来，得到纯酶，但由于技术上的困难都未成功。因此，酶究竟是什么物质，仍然是不解之谜。

美国科学家萨姆纳（J. B. Sumner，1887—1955）也认为酶是蛋白质。1917年，他从资料中得知刀豆种子中脲酶含量相当高（这种酶能使尿素分解成氨和二氧化碳），便决定从刀豆种子中提取纯酶。他尝试了多种方法，历经一次又一次的失败，终于在1926年的一天清晨惊喜地发现，在用丙酮作溶剂的提取液中出现了结晶，这说明提取物达到了一定的纯度。这种结晶溶于水后能够催化尿素分解成氨和二氧化碳。然后他又用多种方法证明脲酶是蛋白质。

后来，科学家又相继获得胃蛋白酶、胰蛋白酶等许多酶的结晶，并证明这些酶都是蛋白质。

20世纪80年代，美国科学家切赫（T. R. Cech, 1947—）和奥尔特曼（S. Altman, 1939—）发现少数RNA也具有生物催化功能。

讨论

1. 巴斯德和李比希的观点各有什么积极意义？各有什么局限性？

2. 在科学发展过程中出现争论是正常的。巴斯德和李比希之间出现争论的原因是什么？这一争论对后人进一步研究酶的本质起到了什么作用？

3. 从毕希纳的实验可以得出什么结论？

4. 萨姆纳历时9年才证明脲酶是蛋白质，并因此荣获诺贝尔化学奖。你认为他取得成功靠的是什么样的精神品质？

5. 请给酶下一个比较完整的定义。

"在科学上没有平坦的大道，只有不畏劳苦沿着陡峭山路攀登的人，才有希望达到光辉的顶点。"结合本节课的学习，谈谈你对马克思这句话的理解。

练习与应用

一、概念检测

1. 酶对细胞代谢起着非常重要的作用，可以降低化学反应的活化能。下列关于酶的作用特点及本质的叙述，正确的是　　（　）

A. 酶不能脱离生物体起作用

B. 酶只有释放到细胞外才起作用

C. 所有的酶都是蛋白质

D. 酶是具有催化作用的有机物

2. 酶和无机催化剂都能催化化学反应。与无机催化剂相比，酶具有的特点是　　（　）

A. 能为反应物提供能量

B. 能降低化学反应的活化能

C. 能在温和条件下催化化学反应

D. 催化化学反应更高效

二、拓展应用

1. 在本节"探究·实践"中，有同学在原有实验的基础上增加了5号和6号试管，向其中分别加入2 mL过氧化氢溶液后，再向5号试管内加入2滴煮沸过的肝脏研磨液，向6号试管内加入2滴蒸馏水。这样做的目的是＿＿＿＿。

2. 仔细阅读本节的"思考·讨论"，通过完成下面的图解，体会巴斯德、李比希、毕希纳、萨姆纳的观点之间的逻辑关系；写一篇短文，谈谈对科学发展过程的认识。

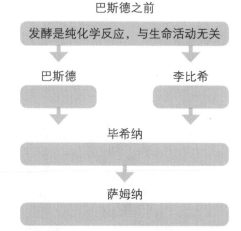

3. 给你一份某种酶的结晶，你能设计实验检测它是不是蛋白质吗？请简略写出实验步骤。想一想，在萨姆纳之前，为什么很难鉴定酶的本质？

二　酶的特性

酶的化学本质不同于无机催化剂。一般来说，**酶是活细胞产生的具有催化作用的有机物，其中绝大多数酶是蛋白质**。酶的催化作用与无机催化剂有什么不同呢？

◎ **本节聚焦**

● 酶有哪些特性？

● 酶的活性受哪些条件的影响？

酶具有高效性

通过上节课的学习，你已经知道酶具有高效性。大量的实验数据表明，酶的催化效率是无机催化剂的$10^7 \sim 10^{13}$倍。这对细胞有什么意义呢？设想一下，假如细胞中过氧化氢酶的催化效率很低会怎样？你在踢球或奔跑时，肌细胞需要大量的能量供应，如果有关的酶催化效率很低，供能的化学反应只能慢悠悠地进行，你还能跑那么快吗？

无机催化剂催化的化学反应范围比较广。例如，酸既能催化蛋白质水解，也能催化脂肪水解，还能催化淀粉水解。

酶能像无机催化剂一样，催化多种化学反应吗？

相关信息

目前已发现的酶有8 000多种，它们分别催化不同的化学反应。

◆ 探究·实践

淀粉酶对淀粉和蔗糖的水解作用

淀粉和蔗糖都是非还原糖。它们在酶的催化作用下都能水解成还原糖。在淀粉溶液和蔗糖溶液中分别加入淀粉酶，再用斐林试剂鉴定溶液中有无还原糖，就可以看出淀粉酶是否只能催化特定的化学反应。

目的要求

探究淀粉酶是否只能催化特定的化学反应。

材料用具

质量分数为2%的新配制的淀粉酶溶液。质量分数为3%的可溶性淀粉溶液，质量分数为3%的蔗糖溶液，斐林试剂，热水。

试管，大烧杯，量筒，滴管，温度计，试管夹，三脚架，陶土网，酒精灯，火柴。

方法步骤

1.取两支洁净的试管，编上号，然后按照下表中序号1至序号3的要求操作。

2.轻轻振荡这两支试管，使试管内的液体混合均匀，然后将试管的下半部浸到60 ℃左右的热水中，保温5 min。

3.取出试管，各加入2 mL斐林试剂（边加入斐林试剂，边轻轻振荡这两支试管，

序号	项目	试管1	试管2
1	注入可溶性淀粉溶液	2 mL	—
2	注入蔗糖溶液	—	2 mL
3	注入新鲜的淀粉酶溶液	2 mL	2 mL

以便使试管内的物质混合均匀）。

4.将两支试管的下半部放进盛有热水的大烧杯中，用酒精灯加热，煮沸1 min。

5.观察两支试管内的溶液颜色变化。

讨论

1.在已知淀粉酶能够催化淀粉水解的情况下，本实验设置1号试管还有没有必要？

2.你对本实验的过程有什么疑问吗？如果有，请提出来与本小组同学讨论。

结论

本实验的结论：＿＿＿＿＿＿＿＿

＿＿＿＿＿＿＿＿＿＿＿＿。

酶具有专一性

过氧化氢酶只能催化过氧化氢分解，不能催化其他化学反应。脲酶除了催化尿素分解，对其他化学反应也不起作用。每一种酶只能催化一种或一类化学反应。细胞代谢能够有条不紊地进行，与酶的专一性是分不开的。

许多无机催化剂能在高温、高压、强酸或强碱条件下催化化学反应。

酶起催化作用需要怎样的条件呢？

探究·实践

影响酶活性的条件

细胞中几乎所有的化学反应都是由酶催化的。酶催化特定化学反应的能力称为酶活性（enzyme activity）。酶活性可用在一定条件下酶所催化某一化学反应的速率表示。若细胞生活的环境条件发生改变，酶活性会怎样变化呢？

背景知识

在初中做消化酶实验时，需要控制温度等实验条件。

不同消化液的pH不一样。唾液的pH为6.2～7.4，胃液的pH为0.9～1.5，小肠液的pH为7.6。

唾液淀粉酶会随唾液流入胃，胃蛋白酶会随食糜进入小肠。

读了上述文字，你能提出什么问题吗？

提出问题

在小组内交流每个人想探究的问题，讨论这些问题有没有探究价值，能不能通过探究找到答案。将问题用文字表述出来。

作出假设

针对提出的问题作出假设，并说明作出假设的依据（提示：酶一般是蛋白质），将所作假设记录下来。

材料用具

下面列出的材料用具供选用，你可以根据实验方案进行增减。

新配制的质量分数为2%的淀粉酶溶液，新鲜的质量分数为20%的肝脏（如猪肝、鸡肝）研磨液，缓冲液（能在加入少量酸或碱时抵抗pH改变的溶液）。

质量分数为3%的可溶性淀粉溶液，体积分数为3%的过氧化氢溶液。物质的量浓度为0.01 mol/L的盐酸，物质的量浓度为0.01 mol/L的NaOH溶液，热水，蒸馏水，冰块，碘液，斐林试剂。

试管，量筒，小烧杯，大烧杯，滴管，试管夹，酒精灯，三脚架，陶土网，温度计，pH试纸，火柴。

建议你用淀粉酶探究温度对酶活性的影响，用过氧化氢酶探究pH对酶活性的影响。

设计实验

1. 你选择哪一种酶作实验材料？为什么选择这种酶？

2. 根据自己作出的假设，你预期会看到怎样的实验结果？比如酶活性升高或降低时，会出现什么实验现象？将预期的实验结果写下来。

3. 本实验的自变量是什么？因变量是什么？如何控制自变量？怎样观察或检测因变量？

4. 对照组怎样设置？是否需要进行重复实验？

5. 如果你想探究pH对酶活性的影响，你将设定哪几个pH数值？怎样将不同溶液的pH分别调到设定的数值？怎样排除温度和其他因素对实验结果的干扰？

如果探究温度对酶活性的影响，你将设定哪几个温度？怎样将溶液的不同温度分别调到设定的数值？怎样排除pH和其他因素对实验结果的干扰？

6. 经讨论，形成小组的实验方案。并列出材料用具清单，设计好记录实验数据的表格。

进行实验

按实验方案进行操作，仔细观察，认真记录。

分析结果

1. 哪支试管中酶的活性最高？你是怎样得出这一结论的？

2. 实验结果与你预期的结果一致吗？你作出的假设是否得到了证实？

结论和应用

1. 通过这个探究，你们小组的结论是：_____。

2. 尝试应用酶的化学本质的知识，解释本小组的结论。

3. 你认为在酶制品的储藏、运输和使用过程中，应该注意什么问题？为什么？

表达和交流

1. 与其他小组交流探究的过程和结论，以及提出的新问题。

2. 听取其他小组的质询，进行必要的答辩、反思和修改。

3. 交流时应当注意具体情况具体分析，如不同酶的最适条件可能是不一样的。

进一步探究

不同温度或pH条件下酶的活性差别有多大？感兴趣的话，建议你进行定量实验：用出现同一结果所需的时间来表示酶的活性，并根据实验数据绘制不同条件下酶活性的曲线图。

除温度和pH外，还有哪些条件影响酶的活性？感兴趣的同学，可以查找有关资料。

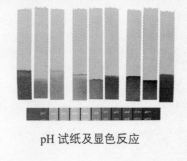

pH试纸及显色反应

一般来说，动物体内的酶最适温度在35～40 ℃；植物体内的酶最适温度在40～50 ℃；细菌和真菌体内的酶最适温度差别较大，有的酶最适温度可高达70 ℃。动物体内的酶最适pH大多在6.5~8.0，但也有例外，如胃蛋白酶的最适pH为1.5；植物体内的酶最适pH大多为4.5~6.5。

酶的作用条件较温和

通过实验可以看出，溶液的温度和pH都对酶活性有影响。与无机催化剂相比，**酶所催化的化学反应一般是在比较温和的条件下进行的**。科学家采用定量分析的方法，分别在不同的温度和pH条件下测定同一种酶的活性，根据所得到的数据绘制成曲线图（图5-2，图5-3）。分析这两个曲线图可以看出，在最适宜的温度和pH条件下，酶的活性最高。温度和pH偏高或偏低，酶活性都会明显降低。

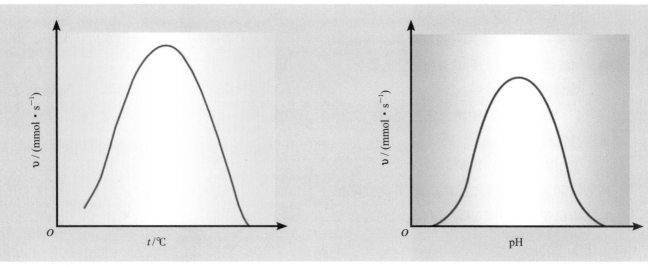

▲ 图5-2　酶活性受温度影响示意图　　　　▲ 图5-3　酶活性受 pH 影响示意图

过酸、过碱或温度过高，会使酶的空间结构遭到破坏，使酶永久失活。在0 ℃左右时，酶的活性很低，但酶的空间结构稳定，在适宜的温度下酶的活性会升高。因此，酶制剂适宜在低温下保存。

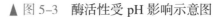 **与社会的联系**　20世纪60年代以前，医院里用的葡萄糖是用盐酸催化淀粉水解的方法来生产的，生产过程需要在245 kPa的高压和140~150 ℃的高温下进行，并且需要耐酸的设备。60年代以后改用酶法生产。想一想，用酶来水解淀粉生产葡萄糖有什么优越性？还有哪些产品可以用酶法生产？

细胞中的各类化学反应之所以能有序进行，还与酶在细胞中的分布有关。拿植物叶肉细胞来说，与光合作用有关的酶分布在叶绿体内，与呼吸作用有关的酶分布在细胞质基质和线粒体内，这样，光合作用与呼吸作用在细胞内不同的区室同时进行，就可以互不干扰了。

一、概念检测

1. 嫩肉粉的主要作用是利用其中的酶对肌肉组织中的有机物进行分解，使肉类制品口感鲜嫩。由此可推测嫩肉粉中能起分解作用的酶是 （ ）

A. 纤维素酶　　　　　B. 淀粉酶

C. 脂肪酶　　　　　　D. 蛋白酶

2. 能够促使唾液淀粉酶水解的酶是 （ ）

A. 淀粉酶　　　　　　B. 蛋白酶

C. 脂肪酶　　　　　　D. 麦芽糖酶

3. 将刚采摘的新鲜糯玉米立即放入 85 ℃ 水中热烫处理 2 min，可较好地保持甜味。这是因为加热会 （ ）

A. 提高淀粉酶的活性

B. 改变可溶性糖分子的结构

C. 破坏淀粉酶的活性

D. 破坏将可溶性糖转化为淀粉的酶的活性

二、拓展应用

1. 右上图表示的是某类酶作用的模型。

尝试用文字描述这个模型。这个模型能解释酶的什么特性？

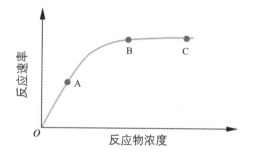

2. 下图表示最适温度下反应物浓度对酶所催化的化学反应速率的影响。

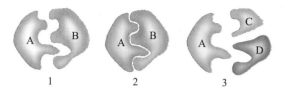

（1）请解释在 A、B、C 三点时该化学反应的状况。

（2）如果从 A 点开始温度升高 10 ℃，曲线会发生什么变化？为什么？请画出变化后的曲线。

（3）如果在 B 点时向反应混合物中加入少量同样的酶，曲线会发生什么变化？为什么？请画出相应的曲线。

---

⑤Ⓣ⑤ 科学·技术·社会

酶为生活添姿彩

溶菌酶能够溶解细菌的细胞壁，具有抗菌消炎的作用。在临床上与抗生素混合使用，能增强抗生素的疗效。

果胶酶能分解果肉细胞壁中的果胶，提高果汁产量，使果汁变得清亮。

加酶洗衣粉比普通洗衣粉有更强的去污能力，能把衣物清洗得更加干净鲜亮。加酶洗衣粉中的酶不是直接来自生物体的，而是经过酶工程改造的产品，比一般的酶稳定性强。

残留在牙缝里的食物残渣是细菌的美食，也是导致龋齿的祸根。含酶牙膏可以分解细菌，使我们的牙齿亮洁，口气清新。

多酶片中含有多种消化酶，人在消化不良时可以服用。

胰蛋白酶可用于促进伤口愈合和溶解血凝块，还可用于去除坏死组织，抑制污染微生物的繁殖。

利用脂肪酶处理废油脂，制造生物柴油，既保护了环境又使其得到合理利用。

青霉素酰化酶能将易形成抗药性的青霉素改造成杀菌力更强的氨苄青霉素。

自然界中存在的酶并不完全适于在生活和生产上应用。科学家利用酶工程技术对酶进行改造，使之更加符合人们的需要。

第2节
细胞的能量"货币"ATP

问题探讨

"银烛秋光冷画屏，轻罗小扇扑流萤。天阶夜色凉如水，卧看牵牛织女星。"让我们重温唐代诗人杜牧这情景交融的诗句，想象夜空中与星光媲美的点点流萤，思考有关的生物学问题。

萤火虫

讨论

1. 萤火虫发光的生物学意义是什么？
2. 萤火虫体内有特殊的发光物质吗？
3. 在萤火虫发光的过程中有能量转化吗？

本节聚焦

- 为什么说ATP是细胞的能量"货币"？
- ATP与ADP是怎样相互转化的？这有什么意义？
- 细胞中的哪些生命活动需要ATP提供能量？

相关信息

ATP的英文全称是adenosine triphosphate。adenosine是腺苷，由腺嘌呤和核糖结合而成。tri是"三"的意思。phosphate是磷酸盐。ATP的结构式如下图所示：

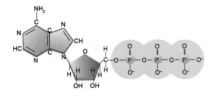

萤火虫发光需要细胞提供能量。同样，在细胞内，物质的主动运输需要能量，物质的合成需要能量，肌纤维的收缩也需要能量。这些能量从哪里来呢？我们知道，细胞中的糖类、脂肪等有机物都储存着化学能，但是直接给细胞生命活动提供能量的却是另一种有机物——ATP。

ATP是驱动细胞生命活动的直接能源物质。

ATP是一种高能磷酸化合物

ATP是腺苷三磷酸的英文名称缩写。ATP分子的结构可以简写成A—P~P~P，其中A代表腺苷，P代表磷酸基团，~代表一种特殊的化学键。由于两个相邻的磷酸基团都带负电荷而相互排斥等原因，使得这种化学键不稳定，末端磷酸基团有一种离开ATP而与其他分子结合的趋势，也就是具有较高的转移势能。当ATP在酶的作用下水解时，脱离下来的末端磷酸基团挟能量与其他分子结合，从而使后者发生变化。可见ATP水解的过程就是释放能量的过程，1 mol ATP水解释放的能量高达30.54 kJ，所以说ATP是一种高能磷酸化合物。

ATP与ADP可以相互转化

ATP水解后转化为比ATP稳定的化合物——ADP（腺苷二磷酸的英文名称缩写），脱离下来的磷酸基团如果未转移给其他分子，就成为游离的磷酸（以Pi表示）。在有关酶的作用下，ADP可以接受能量，同时与Pi结合，重新形成ATP（图5-4）。

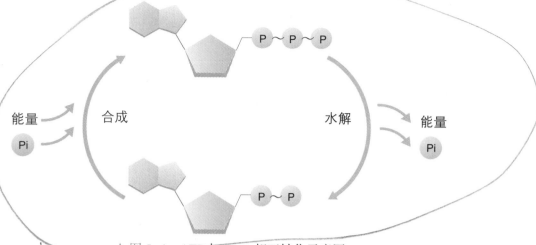

▲ 图5-4　ATP与ADP相互转化示意图

对细胞的正常生活来说，ATP与ADP的这种相互转化，是时刻不停地发生并且处于动态平衡之中的。据测算，一个人在剧烈运动的状态下，每分钟约有0.5 kg的ATP转化成ADP，释放能量，供运动之需。生成的ADP又可在一定条件下转化成ATP。ATP与ADP相互转化的能量供应机制，在所有生物的细胞内都是一样的，这体现了生物界的统一性。

那么，在ADP转化成ATP的过程中，所需要的能量从哪里来呢？对于绿色植物来说，既可以来自光能，也可以来自呼吸作用所释放的能量；对于动物、人、真菌和大多数细菌来说，均来自细胞进行呼吸作用时有机物分解所释放的能量（图5-5）。

知识链接 ≪≪≪≪≪≪≪≪≪≪≪≪≪≪≪≪≪≪≪≪≪≪≪≪≪≪

　　有关光合作用吸收光能用于ADP转化为ATP的内容，请参见本章第4节。

▲ 图5-5　ADP转化成ATP时所需能量的主要来源

ATP的利用

细胞中绝大多数需要能量的生命活动都是由ATP直接提供能量的，如大脑思考、电鳗发电和物质的主动运输都需要消耗ATP。阅读图5-6，你能补充其他ATP利用的实例吗？

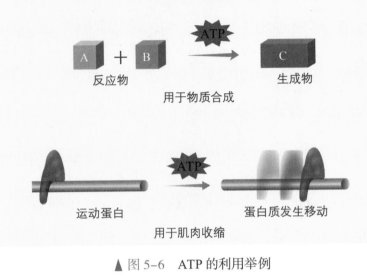

反应物

生成物

用于物质合成

运动蛋白

蛋白质发生移动

用于肌肉收缩

▲ 图5-6　ATP的利用举例

ATP水解释放的能量是如何用于上述各种生命活动的呢？下图向你展示了ATP是如何为主动运输供能的（图5-7）。

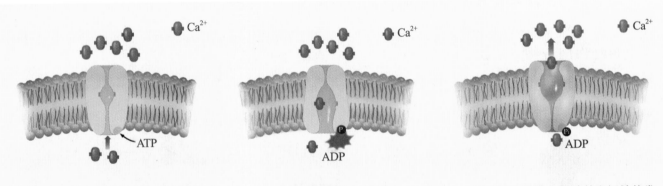

1. 参与Ca^{2+}主动运输的载体蛋白是一种能催化ATP水解的酶。当膜内侧的Ca^{2+}与其相应位点结合时，其酶活性就被激活了。

2. 在载体蛋白这种酶的作用下，ATP分子的末端磷酸基团脱离下来与载体蛋白结合，这一过程伴随着能量的转移，这就是载体蛋白的磷酸化。

3. 载体蛋白磷酸化导致其空间结构发生变化，使Ca^{2+}的结合位点转向膜外侧，将Ca^{2+}释放到膜外。

▲ 图5-7　ATP为主动运输供能示意图

ATP水解释放的磷酸基团使蛋白质等分子磷酸化，这在细胞中是常见的。这些分子被磷酸化后，空间结构发生变化，活性也被改变，因而可以参与各种化学反应。

细胞内的化学反应可以分成吸能反应和放能反应两大类。前者是需要吸收能量的，如蛋白质的合成等；后者是释放能量的，如葡萄糖的氧化分解等。许多吸能反应与ATP水解的反应相联系，由ATP水解提供能量；许多放能反应与ATP的合成相联系，释放的能量储存在ATP中，用来为吸能反应直接供能。也就是说，能量通过ATP分子在吸能反应和放能反应之间流通。因此，可以形象地把ATP比喻成细胞内流通的能量"货币"。

正是由于细胞内具有ATP这种能量"货币"，才能及时而持续地满足细胞各项生命活动对能量的需求。

萤火虫尾部的发光细胞中含有荧光素和荧光素酶。荧光素接受ATP提供的能量后就被激活。在荧光素酶的催化作用下，荧光素与氧发生化学反应，形成氧化荧光素并且发出荧光。科学家运用这一原理，将荧光素酶基因导入植物后，再用荧光素溶液浇灌植物，使转基因植物在黑暗中发光，从而培育出一种能发光的"荧光树"。

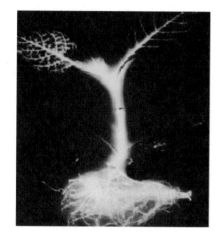

荧光树

练习与应用

一、概念检测

1. 能准确表示ATP中三个磷酸基团之间，以及磷酸基团和腺苷之间关系的结构简式是（　　）

　A．A—P—P~P　　　　B．A—P~P~P

　C．A~P—P—P　　　　D．A~P~P~P

2. 下列物质中，能够直接给细胞生命活动提供能量的是（　　）

　A．脂肪酸　　　　　B．氨基酸

　C．腺苷二磷酸　　　D．腺苷三磷酸

3. ATP是细胞生命活动的直接能源物质，下面关于ATP的叙述，错误的是（　　）

　A．细胞质和细胞核中都有ATP的分布

　B．ATP合成所需的能量由磷酸提供

　C．ATP可以水解为ADP和磷酸

　D．正常细胞中ATP与ADP的比值相对稳定

4. 离子泵是一种具有ATP水解酶活性的载体蛋白，它在跨膜运输物质时离不开ATP的水解。下列叙述正确的是（　　）

　A．离子通过离子泵的跨膜运输属于协助扩散

　B．离子通过离子泵的跨膜运输是顺浓度梯度进行的

　C．动物一氧化碳中毒会降低离子泵跨膜运输离子的速率

　D．加入蛋白质变性剂会提高离子泵跨膜运输离子的速率

二、拓展应用

1. 就细胞中的吸能反应和放能反应各举出一个实例，并说明这些实例分别与ATP和ADP的相互转化有什么关系。

2. 同样是能源物质，ATP与葡萄糖具有不同的特点。请你概括出ATP具有哪些特点。

3. 在植物、动物、细菌和真菌的细胞内，都是以ATP作为能量"货币"的，这是否也说明生物界的统一性？这对你理解生物的进化有什么启示？

第3节
细胞呼吸的原理和应用

💬 问题探讨

酵母菌细胞富含蛋白质，可以用作饲料添加剂。在培养酵母菌用作饲料添加剂时，要给培养装置通气或进行振荡，以利于酵母菌大量繁殖。在利用酵母菌生产葡萄酒时，却需要密封发酵。

发酵生产葡萄酒的车间

讨论

1. 都是培养酵母菌，为什么有的需要通气，有的却需要密封？

2. 为什么通气有利于酵母菌大量繁殖？

3. 在密封发酵时，酵母菌将有机物转化为酒精对它自身有什么意义？

◎ **本节聚焦** ─────

● 细胞呼吸过程中能量是怎样转化的？

● 有氧呼吸与无氧呼吸各有什么特点？

● 细胞呼吸原理在生产和生活中有哪些应用？

酵母菌是一类单细胞真菌，它与人类的生活息息相关。做馒头、面包，酿酒等，都是利用酵母菌的呼吸作用。

呼吸作用的实质是细胞内的有机物氧化分解，并释放能量，因此也叫细胞呼吸（cell respiration）。

细胞呼吸的方式

细胞呼吸是否都需要氧？生物在有氧和无氧条件下是否都能进行细胞呼吸呢？

🔬 探究·实践

探究酵母菌细胞呼吸的方式

酵母菌在有氧和无氧的条件下都能生存，属于兼性厌氧菌，因此便于用来研究细胞呼吸的不同方式。

在本探究活动中，你需要设计和进行对比实验，分析有氧和无氧条件下酵母菌细胞呼吸的情况。

提出问题

1. 说一说你了解哪些有关酵母菌的知识。

酵母菌的电镜照片（放大4 750倍）

2. 想一想关于酵母菌细胞呼吸的方式，自己有哪些不清楚的地方，提出要探究的问题。

参考案例

有一位同学知道酵母菌能使葡萄糖发酵产生酒精,但是不清楚这一过程是在有氧还是在无氧条件下进行的;另一位同学知道酵母菌的细胞呼吸会产生CO_2,但是不知道不同条件下产生的CO_2是否一样多。

作出假设

根据自己已有的知识和生活经验,针对所提出的问题作出假设。

设计实验

先确定实验的总体思路,再逐步细化,写出包括材料用具和方法步骤在内的实验方案。请特别关注以下问题。

1．怎样控制有氧和无氧的条件?

2．怎样鉴定有无酒精产生?怎样鉴定有无CO_2产生?如何比较CO_2产生的多少?

3．怎样保证酵母菌在整个实验过程中能正常生活?

参考资料

1．酵母菌培养液的配制　取20 g 新鲜的食用酵母菌,分成两等份,分别放入锥形瓶A(500 mL)和锥形瓶B(500 mL)中。分别向瓶中注入240 mL质量分数为5%的葡萄糖溶液。

2．检测CO_2的产生　用锥形瓶和其他材料用具组装好实验装置(如下图),并连通橡皮球(或气泵),让空气间歇性地依次通过3个锥形瓶(约50 min)。然后将实验装置放到25～35 ℃的环境中培养8～10 h。有条件的学校可以用CO_2传感器。

CO_2可使澄清的石灰水变浑浊,也可使溴麝香草酚蓝溶液由蓝变绿再变黄。根据石灰水浑浊程度或溴麝香草酚蓝溶液变成黄色的时间长短,可以检测酵母菌培养液中CO_2的产生情况。想一想,除了这两种检测方法,还有没有其他方法?

3．检测酒精的产生　橙色的重铬酸钾溶液在酸性条件下与乙醇(俗称酒精)发生化学反应,变成灰绿色。具体做法是:各取2 mL酵母菌培养液的滤液,分别注入2支干净的试管中。向试管中分别滴加0.5 mL溶有0.1 g重铬酸钾的浓硫酸溶液(质量分数为95%～97%)并轻轻振荡,使它们混合均匀。观察试管中溶液的颜色变化。由于葡萄糖也能与酸性重铬酸钾反应发生颜色变化,因此,应将酵母菌的培养时间适当延长以耗尽溶液中的葡萄糖。

进行实验

请老师对实验方案提出意见,待老师认可后开始做实验。由于实验需要时间较长,观察的项目和次数要事先计划好,并做好记录。

! 警示:浓硫酸有腐蚀性,向试管中滴加浓硫酸时要缓慢、小心。

得出结论、交流讨论

根据实验结果得出本小组的结论。然后,用简明而科学的语言,说出酵母菌的细胞呼吸有几种方式,每种方式的条件和产物有什么区别。

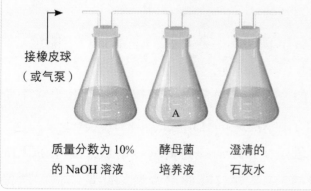

接橡皮球(或气泵)　质量分数为10%的NaOH溶液　酵母菌培养液　澄清的石灰水

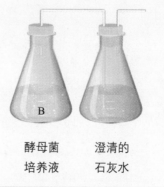

酵母菌培养液　澄清的石灰水

B瓶应封口放置一段时间后,再连通盛有澄清石灰水的锥形瓶。想一想,这是为什么?

对比实验

设置两个或两个以上的实验组，通过对结果的比较分析，来探究某种因素对实验对象的影响，这样的实验叫作对比实验，也叫相互对照实验。在本节课的探究活动中，需要设置有氧和无氧两种条件，探究酵母菌在不同氧气条件下细胞呼吸的方式，这两个实验组的结果都是事先未知的，通过对比可以看出氧气条件对细胞呼吸的影响。对比实验也是科学探究中常用的方法之一。

酵母菌在有氧和无氧条件下都能进行细胞呼吸。在有氧条件下，酵母菌通过细胞呼吸产生大量的二氧化碳和水；在无氧条件下，酵母菌通过细胞呼吸产生酒精，还产生少量的二氧化碳。

科学家根据大量的实验结果得出结论：细胞呼吸可分为有氧呼吸（aerobic respiration）和无氧呼吸（anaerobic respiration）两种类型。

有氧呼吸

对于绝大多数生物来说，有氧呼吸是细胞呼吸的主要形式，这一过程必须有氧的参与。有氧呼吸的主要场所是线粒体。线粒体具有内、外两层膜，内膜的某些部位向线粒体的内腔折叠形成嵴，嵴使内膜的表面积大大增加（图5-8）。嵴的周围充满了液态的基质。线粒体的内膜上和基质中含有许多种与有氧呼吸有关的酶。

有氧呼吸最常利用的物质是葡萄糖，其化学反应式可以简写成：

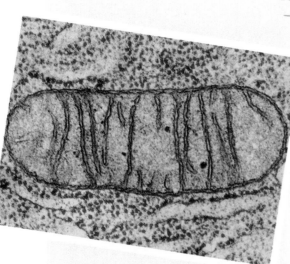

▲ 图5-8 线粒体的电镜照片
（放大45 000 倍）

$$C_6H_{12}O_6 + 6H_2O + 6O_2 \xrightarrow{\text{酶}} 6CO_2 + 12H_2O + 能量$$

有氧呼吸的全过程十分复杂，可以概括地分为三个阶段，每个阶段的化学反应都有相应的酶催化（图5-9）。

第一个阶段是，1分子的葡萄糖分解成2分子的丙酮酸，产生少量的 [H]，并且释放出少量的能量。这一阶段不需要氧的参与，是在细胞质基质中进行的。

第二个阶段是，丙酮酸和水彻底分解成二氧化碳和[H]，并释放出少量的能量。这一阶段不需要氧直接参与，是在线粒体基质中进行的。

第三个阶段是，上述两个阶段产生的[H]，经过一系列的化学反应，与氧结合形成水，同时释放出大量的能量。这一阶段需要氧的参与，是在线粒体内膜上进行的。

概括地说，**有氧呼吸是指细胞在氧的参与下，通过多种酶的催化作用，把葡萄糖等有机物彻底氧化分解，产生二氧化碳和水，释放能量，生成大量ATP的过程**。同有机物在生物体外的燃烧相比，有氧呼吸具有不同的特点：有氧呼吸过程温和；有机物中的能量经过一系列的化学反应逐步释放；这些能量有相当一部分储存在ATP中。

相关信息

这里的[H]是一种十分简化的表示方式。这一产生[H]的过程实际上是指氧化型辅酶Ⅰ（NAD$^+$）转化成还原型辅酶Ⅰ（NADH）。

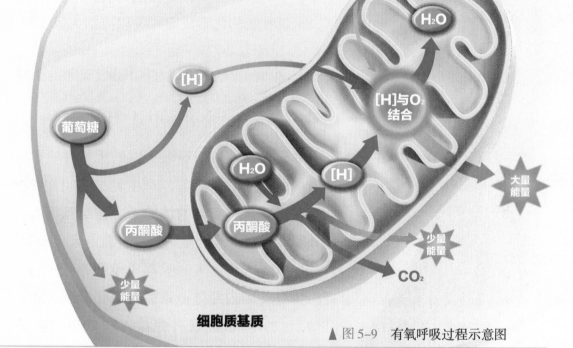

▲ 图5-9 有氧呼吸过程示意图

💡 **思考·讨论**

有氧呼吸的能量利用特点

1. 在细胞内，1 mol葡萄糖彻底氧化分解可以释放出2 870 kJ的能量，可使977.28 kJ左右的能量储存在ATP中，其余的能量则以热能的形式散失掉了。请你计算一下，有氧呼吸的能量转化效率大约是多少，这些能量大约能使多少ADP转化为ATP？

2. 与燃烧迅速释放能量相比，有氧呼吸是逐级释放能量的，这对于生物体来说具有什么意义？

1 mol葡萄糖在分解成乳酸以后，只释放出 196.65 kJ 的能量，其中只有 61.08 kJ 的能量储存在 ATP 中，近 69% 的能量都以热能的形式散失了。人体肌细胞无氧呼吸产生的乳酸，能在肝脏中再次转化为葡萄糖。

有氧呼吸和无氧呼吸有哪些异同点？请尝试设计简明的表格来比较。

无氧呼吸

除酵母菌以外，还有许多种细菌（如乳酸菌）能够进行无氧呼吸。此外，马铃薯块茎、水稻根、苹果果实等植物器官的细胞以及动物骨骼肌的肌细胞等，除了能够进行有氧呼吸，在缺氧条件下也能进行无氧呼吸。一般地说，无氧呼吸最常利用的物质也是葡萄糖。

无氧呼吸的全过程，可以概括地分为两个阶段，这两个阶段需要不同酶的催化，但都是在细胞质基质中进行的。

第一个阶段与有氧呼吸的第一个阶段完全相同。第二个阶段是，丙酮酸在酶（与催化有氧呼吸的酶不同）的催化作用下，分解成酒精和二氧化碳，或者转化成乳酸。无论是分解成酒精和二氧化碳或者是转化成乳酸，无氧呼吸都只在第一阶段释放出少量的能量，生成少量 ATP。葡萄糖分子中的大部分能量则存留在酒精或乳酸中。

无氧呼吸的化学反应式可以概括为以下两种：

$$C_6H_{12}O_6 \xrightarrow{酶} 2C_3H_6O_3 （乳酸）+ 少量能量$$

$$C_6H_{12}O_6 \xrightarrow{酶} 2C_2H_5OH （酒精）+2CO_2+ 少量能量$$

酵母菌、乳酸菌等微生物的无氧呼吸也叫作发酵。产生酒精的叫作酒精发酵，产生乳酸的叫作乳酸发酵。像这样，**在没有氧气参与的情况下，葡萄糖等有机物经过不完全分解，释放少量能量的过程，就是无氧呼吸。**

有氧呼吸和无氧呼吸都属于细胞呼吸。**细胞呼吸是指有机物在细胞内经过一系列的氧化分解，生成二氧化碳或其他产物，释放能量并生成 ATP 的过程。**所有生物的生存，都离不开细胞呼吸释放的能量。

细胞呼吸除了能为生物体提供能量，还是生物体代谢的枢纽。例如，在细胞呼吸过程中产生的中间产物，可转化为甘油、氨基酸等非糖物质；非糖物质代谢形成的某些产物与细胞呼吸中间产物相同，这些物质可以进一步形成葡萄糖。蛋白质、糖类和脂质的代谢，都可以通过细胞呼吸过程联系起来。

细胞呼吸原理的应用

请你分析下面的资料，了解细胞呼吸的原理在生活和生产中的应用。

细胞呼吸原理的应用

包扎伤口时，需要选用透气的消毒纱布或"创可贴"等敷料。

利用麦芽、葡萄、粮食和酵母菌以及发酵罐等，在控制通气的情况下，可以生产各种酒。

花盆里的土壤板结后，空气不足，会影响根系生长，需要及时松土透气。

储藏水果、粮食的仓库，往往要通过降低温度、降低氧气含量等措施，来减弱水果、粮食的呼吸作用，以延长保质期。

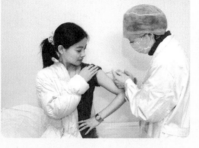

破伤风由破伤风芽孢杆菌引起，这种病菌只能进行无氧呼吸。皮肤破损较深或被锈钉扎伤后，病菌就容易大量繁殖（遇到这种情况，需要及时到医院治疗）。

提倡慢跑等有氧运动的原因之一是：有氧运动能避免肌细胞因供氧不足进行无氧呼吸产生大量乳酸。乳酸的大量积累会使肌肉酸胀乏力。

讨论

1. 任选上述 2～3 个实例，分析人们在生产和生活中应用了细胞呼吸原理的哪些方面。

2. 生活和生产中还有哪些应用细胞呼吸原理的事例？试再举一两例加以说明。

　　细胞呼吸的原理在生活和生产中得到了广泛的应用。生活中，馒头、面包、泡菜等许多传统食品的制作，现代发酵工业生产青霉素、味精等产品，都建立在对微生物细胞呼吸原理利用的基础上。在农业生产上，人们采取的很多措施也与调节呼吸作用的强度有关。例如，中耕松土、适时排水，就是通过改善氧气供应来促进作物根系的呼吸作用，以利于作物的生长；在储藏果实、蔬菜时，往往需要采取降低温度、降低氧气含量等措施减弱果蔬的呼吸作用，以减少有机物的消耗。

运用证据和逻辑评价论点

关于真核细胞线粒体的起源，科学家提出了一种解释：约十几亿年前，有一种真核细胞吞噬了原始的需氧细菌，被吞噬的细菌不仅没有被消化分解，反而在细胞中生存下来了。需氧细菌从宿主细胞那里获取丙酮酸，宿主细胞从需氧细菌那里得到丙酮酸氧化分解释放的能量。在共同生存繁衍的过程中，需氧细菌进化为宿主细胞内专门进行细胞呼吸的细胞器。

以下哪些证据支持这一论点，哪些不支持这一论点？

1. 线粒体内存在与细菌DNA相似的环状DNA。

2. 线粒体内的蛋白质，有少数几种由线粒体DNA指导合成，绝大多数由核DNA指导合成。

3. 真核细胞内的DNA有极高比例的核苷酸序列经常不表现出遗传效应，线粒体DNA和细菌的却不是这样。

4. 线粒体能像细菌一样进行分裂增殖。

练习与应用

一、概念检测

1. 某超市有一批过保质期的酸奶出现胀袋现象。酸奶中可能含有的微生物有乳酸菌、酵母菌等。据此分析胀袋现象的原因，判断以下解释是否合理。

（1）是乳酸菌无氧呼吸产生气体造成的。（ ）

（2）如果有酒味，可能是酵母菌无氧呼吸造成的。 （ ）

2. 下图表示某种植株的非绿色器官在不同氧浓度下，单位时间内O_2的吸收量和CO_2的释放量的变化。下列叙述正确的是 （ ）

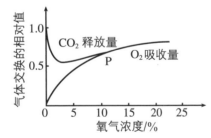

A. 氧气浓度为0时，该器官不进行呼吸作用

B. 氧气浓度在10%以下时，该器官只进行无氧呼吸

C. 氧气浓度在10%以上时，该器官只进行有氧呼吸

D. 保存该器官时，氧气浓度越低越好

3. 将酵母菌培养液进行离心处理。把沉淀的酵母菌破碎后，再次离心处理为只含有酵母菌细胞质基质的上清液和只含有酵母菌细胞器的沉淀物两部分，与未离心处理过的酵母菌培养液分别放入甲、乙、丙3支试管中，并向这3支试管内同时滴入等量、等浓度的葡萄糖溶液。在有氧条件下，最终能产生CO_2和H_2O的试管是 （ ）

A. 甲 　　　　B. 丙

C. 甲和乙 　　D. 丙和乙

二、拓展应用

1. 松土是许多农作物栽培中经常采取的一项措施。试分析农田松土给农作物的生长、当地的水土保持以及全球气候变暖等方面可能带来的影响，并指出如何尽量减少不利影响。

2. 有氧呼吸过程是否含有无氧呼吸的步骤？结合地球早期大气中没有氧气以及原核细胞没有线粒体等事实，想一想，地球早期的单细胞生物是否只能进行无氧呼吸？你体内的骨骼肌细胞仍保留着进行无氧呼吸的能力，这是否可以理解为漫长的生物进化史在你身上留下的印记？

第4节
光合作用与能量转化

 问题探讨

你参观或听说过植物工厂吗？植物工厂在人工精密控制光照、温度、湿度、二氧化碳浓度和营养液成分等条件下，生产蔬菜和其他植物。有的植物工厂完全依靠LED灯等人工光源，其中常见的是红色、蓝色和白色的光源。

讨论

1. 靠人工光源生产蔬菜有什么好处？

2. 为什么要控制二氧化碳浓度、营养液成分和温度等条件？

植物工厂

在植物工厂里，人工光源可以为植物的生长源源不断地提供能量。在自然界，则是万物生长靠太阳。太阳光能的输入、捕获和转化，是生物圈得以维持运转的基础。光合作用（photosynthesis）是唯一能够捕获和转化光能的生物学途径。因此，有人称光合作用是"地球上最重要的化学反应"。

无论是在植物工厂里，还是在自然界，植物捕获光能要依靠特定的物质和结构。

◎ **本节聚焦**

● 植物依靠哪些色素捕获光能？

● 叶绿体的结构有哪些适于进行光合作用的特点？

一　捕获光能的色素和结构

对于高等植物来说，叶片是进行光合作用的主要器官。这些植物的叶片多数是绿色的，说明其中有绿色的色素。在玉米地里，有时可以看到叶片中不含绿色色素的白化苗（图5-10）。这样的白化苗，待种子中储存的养分耗尽就会死去。可见，叶片中的色素可能与光能的捕获有关。

捕获光能的色素

绿叶中究竟有哪些色素呢？

我们通过下面的实验来进行探究。

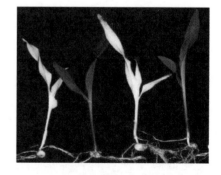

▲ 图 5-10　正常玉米植株（绿色）和白化玉米植株（白色）

绿叶中色素的提取和分离

绿叶中的色素能够溶解在有机溶剂无水乙醇中，所以，可以用无水乙醇提取绿叶中的色素。由于色素存在于细胞内，需要先破碎细胞才能释放出色素。绿叶中的色素不只有一种，它们都能溶解在层析液中，但不同的色素溶解度不同。溶解度高的随层析液在滤纸上扩散得快，反之则慢。这样，绿叶中的色素就会随着层析液在滤纸上的扩散而分开。

目的要求

1. 进行绿叶中色素的提取和分离。
2. 探究绿叶中含有几种色素。

材料用具

新鲜的绿叶（如菠菜的绿叶）。

干燥的定性滤纸，试管，棉塞，试管架，研钵，玻璃漏斗，尼龙布，毛细吸管，剪刀，药匙，量筒（10 mL），天平等。

无水乙醇（也可用体积分数为95%的乙醇加入适量无水碳酸钠来代替），层析液（由20份在60~90 ℃下分馏出来的石油醚、2份丙酮和1份苯混合而成），二氧化硅和碳酸钙。

方法步骤

1. 提取绿叶中的色素

（1）称取5 g绿叶，剪去主叶脉，剪碎，放入研钵中。

（2）向研钵中放入少许二氧化硅和碳酸钙，再加入5~10 mL无水乙醇，迅速、充分地进行研磨（二氧化硅有助于研磨得充分，碳酸钙可防止研磨中色素被破坏）。

（3）将研磨液迅速倒入玻璃漏斗（漏斗基部放一块单层尼龙布）进行过滤。将滤液收集到试管中，及时用棉塞将试管口塞严。

2. 制备滤纸条

将干燥的定性滤纸剪成宽度略小于试管直径、长度略小于试管长度的滤纸条，再

绿叶中的色素有4种，它们可以归为两大类：

这4种色素对光的吸收有什么差别呢？

科学家做过这样的实验：在色素溶液与阳光之间，放置一块三棱镜。阳光是由不同波长的光组合成的复合光，在穿过三棱镜时，不同波长的光会分散开，形成不同颜色的光带（图5-11），称为光谱。分别让不同颜色的光照射色素溶液，就可以得到色素溶液的吸收光谱。

▲ 图5-11　阳光穿过三棱镜

将滤纸条一端剪去两角，并在距这一端底部1 cm处用铅笔画一条细的横线。

3. 画滤液细线

用毛细吸管吸取少量滤液，沿铅笔线均匀地画出一条细线（也可将滤液倒入培养皿，再用盖玻片蘸取滤液，在横线处按压出均匀的细线）。待滤液干后，再重画一到两次。

4. 分离绿叶中的色素

将适量的层析液倒入试管中，将滤纸条（有滤液细线的一端朝下）轻轻插入层析液中，随后用棉塞塞紧试管口。注意：不能让滤液细线触及层析液，否则滤液细线中的色素会被层析液溶解，而不能在滤纸上扩散。也可用小烧杯代替试管，用培养皿盖住小烧杯。

5. 观察与记录

观察试管内滤纸条上出现了几条色素带，以及每条色素带的颜色和宽窄。将观察结果记录下来。

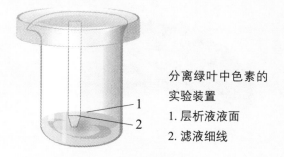

分离绿叶中色素的实验装置
1. 层析液液面
2. 滤液细线

警示：为减少吸入层析液中有毒性的挥发性物质，分离色素这一步应在通风好的条件下进行。实验结束应尽快用肥皂将手洗干净。

讨论

1. 滤纸条上有几条色素带？它们是按照什么次序分布的？

2. 滤纸条上色素带的分布情况说明了什么？

实验结果表明：**叶绿素a和叶绿素b主要吸收蓝紫光和红光，胡萝卜素和叶黄素主要吸收蓝紫光**（图5-12）。这4种色素吸收的光波长有差别，但是都可以用于光合作用。

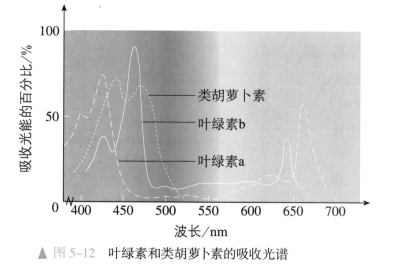

▲ 图5-12 叶绿素和类胡萝卜素的吸收光谱

植物工厂里为什么不用发绿光的光源？

学科交叉

光是一种电磁波。可见光的波长是400~760 nm。不同波长的光，颜色不同。波长小于400 nm的光是紫外光，波长大于760 nm的光是红外光。一般情况下，光合作用所利用的光都是可见光。

这些色素存在于细胞中什么部位呢？

科学家在19世纪早期就从植物细胞中分离出叶绿素，但当时并不清楚色素在植物细胞中的分布情况。后来，科学家才弄清楚，叶绿素并非遍布整个植物细胞，而是集中在一个更小的结构里，这个结构就是叶绿体。

叶绿体的结构适于进行光合作用

如果把水稻、苹果等被子植物的叶肉细胞放在光学显微镜下观察，可以看到叶绿体一般呈扁平的椭球形或球形。不过，叶绿体内更精细的结构，就必须用电子显微镜观察才能看清楚。

观察电子显微镜下的叶绿体结构（图5-13），可以看到，叶绿体由双层膜包被，内部有许多基粒。每个基粒都由一个个圆饼状的囊状结构堆叠而成，这些囊状结构称为<u>类囊体</u>。吸收光能的4种色素就分布在类囊体的薄膜上。基粒与基粒之间充满了基质。

每个基粒都含有两个以上的类囊体，多的可达100个以上。叶绿体内有如此众多的基粒和类囊体，极大地扩展了受光面积。据计算，1 g菠菜叶片中的类囊体的总面积竟有60 m^2左右。

叶绿体除吸收光能外，还有什么功能呢？

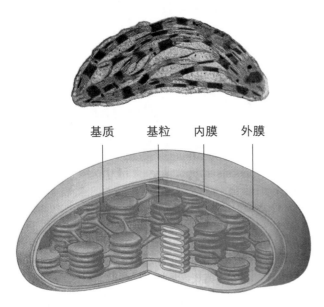

基质　基粒　内膜　外膜

▲ 图 5-13　叶绿体的电镜照片（上图，放大44 000 倍）和模式图（下图）

🔍 **思考·讨论**

叶绿体的功能

资料1　1881年，德国科学家恩格尔曼（T. Engelmann, 1843—1909）做了这样的实验：把载有水绵（叶绿体呈螺旋带状分布）和需氧细菌的临时装片放在没有空气的小室内，在黑暗中用极细的光束照射水绵，发现细菌只向叶绿体被光束照射到的部位集中；如果把装置放在光下，细菌则分布在叶绿体所有受光的部位。

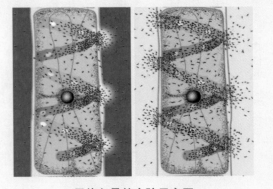

恩格尔曼的实验示意图

紧接着，他又做了一个实验：用透过三棱镜的光照射水绵临时装片，发现大量的需氧细菌聚集在红光和蓝紫光区域。

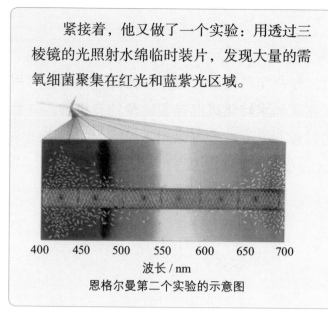

400　450　500　550　600　650　700
波长 / nm
恩格尔曼第二个实验的示意图

资料2　在类囊体膜上和叶绿体基质中，含有多种进行光合作用所必需的酶。

讨论

1. 恩格尔曼第一个实验的结论是什么？

2. 恩格尔曼在选材、实验设计上有什么巧妙之处？

3. 在第二个实验中，大量的需氧细菌聚集在红光和蓝紫光区域，为什么？

4. 综合上述资料，你认为叶绿体具有什么功能？

恩格尔曼的实验直接证明了叶绿体能吸收光能用于光合作用放氧。结合其他的实验证据，科学家们得出叶绿体是光合作用的场所这一结论。

在叶绿体内部巨大的膜表面上，分布着许多吸收光能的色素分子，在类囊体膜上和叶绿体基质中，还有许多进行光合作用所必需的酶。这是叶绿体捕获光能、进行光合作用的结构基础。

～～～～～～ 练习与应用 ～～～～～～

一、概念检测

1. 基于对叶绿体的结构和功能的理解，判断下列相关表述是否正确。

（1）叶绿体中只有叶绿素吸收的光能才能用于光合作用。　　　　　　　　（　）

（2）叶绿体的类囊体上有巨大的膜面积，有利于充分吸收光能。　　　　　　（　）

（3）植物叶片之所以呈现绿色，是因为叶片中的叶绿体吸收了绿光。　　　　　（　）

2. 下列关于高等植物细胞内色素的叙述，错误的是　　　　　　　　　　　　（　）

A. 所有植物细胞中都含有 4 种色素

B. 有些植物细胞的液泡中也含有色素

C. 叶绿素和类胡萝卜素都可以吸收光能

D. 植物细胞内的光合色素主要包括叶绿素和类胡萝卜素两大类

二、拓展应用

1. 海洋中的藻类，习惯上依其颜色分为绿藻、褐藻和红藻，它们在海水中的垂直分布大致依次是浅、中、深。这种现象与光能的捕获有关吗？

石莼（绿藻）
海带（褐藻）
石花菜（红藻）

2. 与传统的生产方式相比，植物工厂生产蔬菜等食物有哪些优势？又面临哪些困难？你对植物工厂的发展前景持什么观点？请搜集资料，结合自己的思考写一篇综述性短文。

◎ 本节聚焦

- 光合作用是怎样进行的?
- 光合作用过程中物质变化与能量转化有什么关系?
- 光合作用原理在生产中有哪些应用?

我们知道,**光合作用是指绿色植物通过叶绿体,利用光能,将二氧化碳和水转化成储存着能量的有机物,并且释放出氧气的过程**。这一过程可以用下面的化学反应式来概括,其中(CH_2O)表示糖类。

$$CO_2+H_2O \xrightarrow[\text{叶绿体}]{\text{光能}} (CH_2O)+O_2$$

自然界中到处都有二氧化碳、水和阳光,然而,能够利用它们合成有机物的却只有进行光合作用的细胞。完成这一神奇过程的就是叶绿体。

光合作用的原理

叶绿体如何将光能转化为化学能?又是如何将化学能储存在糖类等有机物中的?光合作用释放的氧气,是来自原料中的水还是二氧化碳呢?我们先来分析科学家做过的一些实验。

💡 **思考·讨论**

探索光合作用原理的部分实验

19世纪末,科学界普遍认为,在光合作用中,CO_2分子的C和O被分开,O_2被释放,C与H_2O结合成甲醛,然后甲醛分子缩合成糖。1928年,科学家发现甲醛对植物有毒害作用,而且甲醛不能通过光合作用转化成糖。

1937年,英国植物学家希尔(R. Hill)发现,在离体叶绿体的悬浮液中加入铁盐或其他氧化剂(悬浮液中有H_2O,没有CO_2),在光照下可以释放出氧气。像这样,离体叶绿体在适当条件下发生水的光解、产生氧气的化学反应称作希尔反应。

1941年,美国科学家鲁宾(S. Ruben)和卡门(M. Kamen)用同位素示踪的方法,研究了光合作用中氧气的来源。他们用 ^{16}O 的同位素 ^{18}O 分别标记 H_2O 和 CO_2,使它们分别变成 $H_2^{18}O$ 和 $C^{18}O_2$。然后,进行了两组实验:第一组给植物提供 H_2O 和 $C^{18}O_2$,第二组给同种植物提供 $H_2^{18}O$ 和 CO_2。在其他条件都相同的情况下,第一组释放的氧气都是 O_2,第二组释放的都是 $^{18}O_2$。

1954年,美国科学家阿尔农(D. Arnon)发现,在光照下,叶绿体可合成ATP。1957年,他发现这一过程总是与水的光解相伴随。

上述实验表明，光合作用释放的氧气中的氧元素来自水，氧气的产生和糖类的合成不是同一个化学反应，而是分阶段进行的。实际上，光合作用的过程十分复杂，它包括一系列化学反应。根据是否需要光能，这些化学反应可以概括地分为光反应（light reaction）和暗反应（dark reaction，现在也称为碳反应，carbon reaction）两个阶段。

光反应阶段 光合作用第一个阶段的化学反应，必须有光才能进行，这个阶段叫作光反应阶段。光反应阶段是在类囊体的薄膜上进行的。

叶绿体中光合色素吸收的光能，有以下两方面用途。一是将水分解为氧和H^+，氧直接以氧分子的形式释放出去，H^+与氧化型辅酶Ⅱ（$NADP^+$）结合，形成还原型辅酶Ⅱ（NADPH）。NADPH作为活泼的还原剂，参与暗反应阶段的化学反应，同时也储存部分能量供暗反应阶段利用；二是在有关酶的催化作用下，提供能量促使ADP与Pi反应形成ATP。这样，光能就转化为储存在ATP中的化学能。这些ATP将参与第二个阶段合成有机物的化学反应（图5-14）。

▼ 图5-14 光合作用过程的示意图

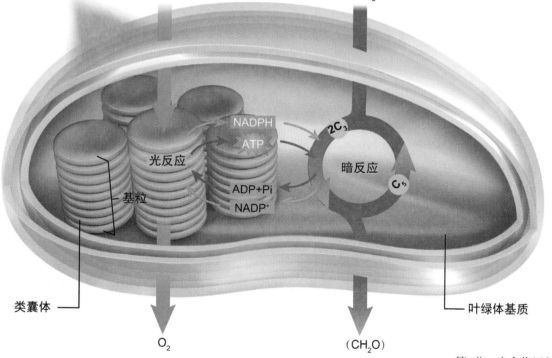

太阳能　　　H_2O　　　　　　　　CO_2

光反应　　　NADPH　　2C$_3$
ATP
暗反应
基粒　　　ADP+Pi　　C$_5$
NADP$^+$

类囊体　　　　　　　　　　　　叶绿体基质

O_2　　　　　（CH_2O）

暗反应阶段　光合作用第二个阶段中的化学反应，有没有光都能进行，这个阶段叫作暗反应阶段。暗反应阶段的化学反应是在叶绿体的基质中进行的。在这一阶段，CO_2被利用，经过一系列的反应后生成糖类。

CO_2是如何转变成糖类的呢？20世纪40年代，美国科学家卡尔文（M. Calvin, 1911—1997）等用小球藻（一种单细胞的绿藻）做了这样的实验：用经过^{14}C标记的$^{14}CO_2$，供小球藻进行光合作用，然后追踪放射性^{14}C的去向，最终探明了CO_2中的碳是如何转化为有机物中的碳的。

绿叶通过气孔从外界吸收的CO_2，在特定酶的作用下，与C_5（一种五碳化合物）结合，这个过程称作CO_2的固定。一分子的CO_2被固定后，很快形成两个C_3分子。在有关酶的催化作用下，C_3接受ATP和NADPH释放的能量，并且被NADPH还原。随后，一些接受能量并被还原的C_3，在酶的作用下经过一系列的反应转化为糖类；另一些接受能量并被还原的C_3，经过一系列变化，又形成C_5。这些C_5又可以参与CO_2的固定。这样，暗反应阶段就形成从C_5到C_3再到C_5的循环，可以源源不断地进行下去，因此暗反应过程也称作卡尔文循环。

🔘 **思考·讨论**

光反应和暗反应的区别与联系

讨论

1. 光反应和暗反应在所需条件、进行场所、发生的物质变化和能量转化等方面有什么区别？

2. 光反应和暗反应在物质变化和能量转化方面存在什么联系？

简而言之，在光反应阶段，光能被叶绿体内类囊体膜上的色素捕获后，将水分解为O_2和H^+等，形成ATP和NADPH，于是光能转化成ATP和NADPH中的化学能；ATP和NADPH驱动在叶绿体基质中进行的暗反应，将CO_2转化为储存化学能的糖类。可见光反应和暗反应紧密联系，能量转化与物质变化密不可分。光合作用产生的有机物，不仅供植物体自身利用，还养活了包括你我在内的所有异养生物。光能通过驱动光合作用而驱动生命世界的运转。

光合作用原理的应用

光合作用的强度（简单地说，就是指植物在单位时间内通过光合作用制造糖类的数量），直接关系农作物的产量，研究影响光合作用强度的环境因素很有现实意义。

探究·实践

探究环境因素对光合作用强度的影响

影响光合作用强度的因素有很多，你们可以选择其中某种因素，探讨它与光合作用的强度有什么关系。你们可以参考以下案例的思路，通过小组讨论，决定本小组要探究的环境因素和实验方案。

参考案例

探究光照强度对光合作用强度的影响。

材料用具

打孔器，注射器，5 W LED 台灯，米尺，烧杯，绿叶（如菠菜、吊兰等）。有条件的学校可以使用化学传感器来测量 O_2 的浓度。

方法步骤

1．取生长旺盛的绿叶，用直径为 0.6 cm 的打孔器打出圆形小叶片 30 片（避开大的叶脉）。

2．将圆形小叶片置于注射器内。注射器内吸入清水，待排出注射器内残留的空气后，用手指堵住注射器前端的小孔并缓慢地拉动活塞，使圆形小叶片内的气体逸出。这一步骤可能需要重复 2~3 次。处理过的小叶片因为细胞间隙充满了水，所以全部沉到水底。

3．将处理过的圆形小叶片，放入黑暗处盛有清水的烧杯中待用。

4．取 3 只小烧杯，分别倒入富含 CO_2 的清水（可以事先通过吹气的方法补充 CO_2，也可以用质量分数为 1%~2% 的 $NaHCO_3$ 溶液来提供 CO_2）。

5．向 3 只小烧杯中各放入 10 片圆形小叶片，然后分别置于强、中、弱三种光照下。实验中，可用 5 W 的 LED 灯作为光源，利用小烧杯与光源的距离来调节光照强度。

6．观察并记录同一时间段内各实验装置中圆形小叶片浮起的数量。

学生正在用打孔器打出圆形小叶片

根据光合作用的反应式可以知道，光合作用的原料——水、CO_2，动力——光能，都是影响光合作用强度的因素。因此，只要影响到原料、能量的供应，都可能是影响光合作用强度的因素。例如，环境中 CO_2 浓度，叶片气孔开闭情况，都会因影响 CO_2 的供应量而影响光合作用的进行。叶绿体是光合作用的场所，影响叶绿体的形成和结构的因素，如无机营养、病虫害，也会影响光合作用强度。此外，光合作用需要众多的酶参与，因此影响酶活性的因素（如温度），也是影响因子。

植物在进行光合作用的同时，还会进行呼吸作用。我们观测到的光合作用指标，如 O_2 的产生量，是植物光合作用实际产生的总 O_2 量吗？

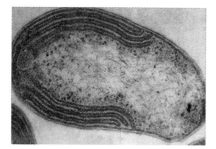

电子显微镜下的一种硝化细菌
（放大5 000倍）

在自然界中，除了光合作用，还有另外一种制造有机物的方式。少数种类的细菌，细胞内没有叶绿素，不能进行光合作用，但是却能利用体外环境中的某些无机物氧化时所释放的能量来制造有机物。例如，生活在土壤中的硝化细菌，能将土壤中的氨（NH_3）氧化成亚硝酸（HNO_2），进而将亚硝酸氧化成硝酸（HNO_3）。这两个化学反应中释放出的化学能，就被硝化细菌用来将CO_2和H_2O合成糖类。这些糖类就可以供硝化细菌维持自身的生命活动。

练习与应用

一、概念检测

1. 依据光合作用的基本原理，判断下列相关表述是否正确。

（1）光合作用释放的氧气中的氧元素来自水。（ ）

（2）光反应只能在光照条件下进行，暗反应只能在黑暗条件下进行。（ ）

（3）影响光反应的因素不会影响暗反应。（ ）

2. 如果用含有^{14}C的CO_2来追踪光合作用中碳原子的转移途径，则是（ ）

A. CO_2→叶绿素→ADP

B. CO_2→叶绿体→ATP

C. CO_2→乙醇→糖类

D. CO_2→三碳化合物→糖类

3. 根据光合作用的基本过程填充下图。

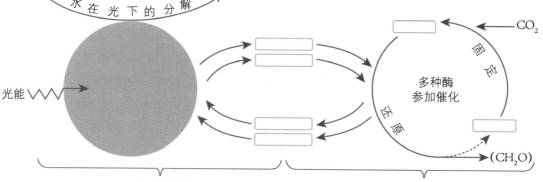

光反应阶段　　　　　　　　　暗反应阶段

二、拓展应用

1. 下图是在夏季晴朗的白天，某种绿色植物叶片光合作用强度的曲线图。分析曲线图并回答问题。

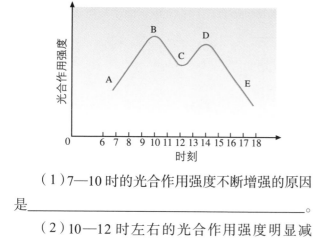

（1）7—10时的光合作用强度不断增强的原因是_____。

（2）10—12时左右的光合作用强度明显减弱的原因是_____。

（3）14—17时的光合作用强度不断下降的原因是_____。

（4）从图中可以看出，限制光合作用的因素有_____。

（5）依据本题提供的信息，提出提高绿色植物光合作用强度的一些措施。

2. 在玻璃瓶底部铺一层潮湿的土壤，播下一粒种子，将玻璃瓶密封，放在靠近窗户能照到阳光的地方，室内温度保持在30 ℃左右。不久，这粒种子萌发长成幼苗。你能预测这株植物幼苗能够生存多长时间吗？如果能，请说明理由。如果不能，请说明你还需要哪些关于植物及其环境因素的信息。

本章小结

理解概念

● 细胞的生命活动离不开能量的供应和利用。细胞的能量获取和利用要经历复杂的物质变化，这些变化是在温和的条件下有序地进行的。这就离不开生物催化剂——酶。同无机催化剂相比，酶显著降低了化学反应的活化能。绝大多数酶是蛋白质。酶的催化作用具有专一性、高效性，并对温度、pH等条件有严格的要求。

● ATP是一种高能磷酸化合物，在细胞中，它与ADP的相互转化实现储能和放能，从而保证细胞各项生命活动的能量供应。生成ATP的途径主要有两条：一条是植物体内含有叶绿体的细胞，在光合作用的光反应阶段生成ATP；另一条是所有活细胞都能通过细胞呼吸生成ATP。

● 细胞呼吸包括有氧呼吸和无氧呼吸两种类型。这两种类型的共同点是：在酶的催化作用下，分解有机物，释放能量。但是，前者需要氧和线粒体的参与，有机物彻底氧化，释放的能量比后者多。细胞呼吸是细胞中物质代谢的枢纽，糖类、脂质和蛋白质的合成或分解都可以通过细胞呼吸联系起来。

● 光合作用在植物细胞的叶绿体中进行。叶绿体类囊体的薄膜上有捕获光能的色素，在类囊体薄膜上和叶绿体基质中还有许多进行光合作用所必需的酶。光合作用的过程分为光反应和暗反应两个阶段。光反应阶段发生在类囊体薄膜上，将光能转化为储存在ATP中的化学能；暗反应阶段发生在叶绿体基质中，将ATP中的化学能转化为储存在糖类等有机物中的化学能。

发展素养

通过本章的学习，应在以下几方面得到发展。

● 阐明生命活动不仅具有物质基础，还需要能量驱动，而能量的供应和利用都离不开物质的变化（化学反应），物质是能量的载体，能量是物质变化的动力，初步形成生物学的物质和能量观，并尝试运用这一观念解释细胞的生命活动。

● 通过本章的探究实践，进一步学会控制自变量，观察和检测因变量的变化，能设置对照组和重复实验，并能将这些方法和技能应用于其他的探究活动。

● 基于酶和光合作用的探索历程的学习，认同科学是在实验和争论中前进的，伟大科学家的观点也可能有一定的局限性。科学工作者既要继承前人的科学成果，善于汲取不同的学术见解，又要有创新精神，锲而不舍，促进科学的发展。

● 举例说明酶、细胞呼吸和光合作用等科学知识与生活和生产紧密联系，关注这些原理的广泛应用，认同科学技术的重要价值。

复习与提高

一、选择题

1. 下列关于水稻细胞内 ATP 的叙述，错误的是（　　）

A. 能与 ADP 相互转化

B. 只能由细胞呼吸产生

C. 可为物质跨膜运输提供能量

D. 释放的磷酸基团能与某些蛋白质结合

2. 在不损伤植物细胞内部结构的情况下，下列可用于去除细胞壁的物质是（　　）

A. 蛋白酶　　　　B. 纤维素酶

C. 盐酸　　　　　D. 淀粉酶

3. 下图表示酶活性与温度的关系。下列叙述正确的是（　　）

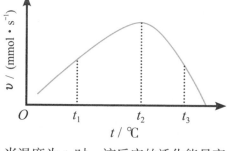

A. 当温度为 t_2 时，该反应的活化能最高

B. 当反应物浓度提高时，t_2 对应的数值可能会增加

C. 温度在 t_2 时比在 t_1 时更适合酶的保存

D. 酶的空间结构在 t_1 时比 t_3 时破坏更严重

4. 叶绿体不同于线粒体的特点有（　　）

A. 具有双层选择透过性膜

B. 利用水进行化学反应

C. 能分解水产生氧气和 H^+

D. 合成 ATP 为生命活动供能

5. 叶肉细胞中不能合成 ATP 的部位是（　　）

A. 线粒体内膜　　B. 叶绿体的类囊体膜

C. 细胞质基质　　D. 叶绿体基质

6. 在我国西北地区，夏季日照时间长，昼夜温差大，那里出产的瓜果往往特别甜。这是因为（　　）

A. 白天光合作用微弱，晚上呼吸作用微弱

B. 白天光合作用旺盛，晚上呼吸作用强烈

C. 白天光合作用微弱，晚上呼吸作用强烈

D. 白天光合作用旺盛，晚上呼吸作用微弱

二、非选择题

1. 请设计并填写一个表格，简明而清晰地体现出你对光合作用与细胞呼吸之间主要区别和内在联系的理解。

2. CO_2 浓度增加会对植物光合作用速率产生影响。研究人员以大豆、甘薯、花生、水稻、棉花作为实验材料，分别进行三种不同实验处理，甲组提供大气 CO_2 浓度（$375\,\mu mol \cdot mol^{-1}$），乙组提供 CO_2 浓度倍增环境（$750\,\mu mol \cdot mol^{-1}$），丙组先在 CO_2 浓度倍增的环境中培养 60 d，测定前一周恢复为大气 CO_2 浓度。整个生长过程保证充足的水分供应，选择晴天上午测定各组的光合作用速率。结果如下图所示。回答下列问题。

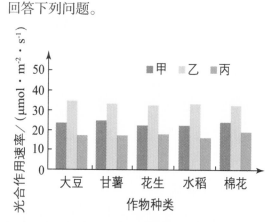

（1）CO_2 浓度增加，作物光合作用速率发生的变化是_____；出现这种变化的原因是_____。

（2）在 CO_2 浓度倍增时，光合作用速率并未倍增，此时限制光合作用速率增加的因素可能是_____。

（3）丙组的光合作用速率比甲组低。有人推测可能是因为作物长期处于高浓度 CO_2 环境而降低了固定 CO_2 的酶的活性。这一推测成立吗？为什么？

（4）有人认为：化石燃料开采和使用能升高大气 CO_2 浓度，这有利于提高作物光合作用速率，对农业生产是有好处的。因此，没有必要限制化石燃料使用，世界主要国家之间也没有必要签署碳减排协议。请查找资料，对此观点作简要评述。

第6章
细胞的生命历程

　　生物会经历出生、生长、成熟、繁殖、衰老直至最后死亡的生命历程。活细胞也一样。

　　就在你阅读本书的时候，你身体内就有许多细胞在进行分裂，有些细胞在生长，有些细胞在变老，有些细胞刚刚结束自己的生命历程。

　　生长、增殖、衰老、死亡……细胞的生命历程大都短暂，却对个体的生命有一份贡献。

鲜花吐蕊，绿叶葱茏，
抑或花瓣凋落，枯叶飘零，
展示着个体的生命现象，
折射出细胞的生命历程。

第1节 细胞的增殖

💬 **问题探讨**

象与鼠的个体大小相差十分悬殊。

讨论

1. 请推测象与鼠相应器官或组织的细胞大小是否也有很大差异。

2. 生物体的长大，是靠细胞数量的增多还是靠细胞体积的增大？

象与鼠

⊚ **本节聚焦** ──────

● 细胞通过什么方式增殖？

● 什么叫作细胞周期？

● 细胞有丝分裂的过程是怎样的？它有什么生物学意义？

多细胞生物体体积的增大，即生物体的生长，既靠细胞生长增大细胞的体积，还要靠细胞分裂增加细胞的数量。事实上，不同动（植）物同类器官或组织的细胞大小一般无明显差异，器官大小主要取决于细胞数量的多少。而细胞数量的增多，是通过细胞分裂来实现的。

细胞增殖

细胞通过细胞分裂增加细胞数量的过程，叫作细胞增殖（cell proliferation）。单细胞生物通过细胞增殖而繁衍。多细胞生物从受精卵开始，要经过细胞增殖和分化逐渐发育为成体。生物体内也不断地有细胞衰老、死亡，需要通过细胞增殖加以补充。因此，**细胞增殖是重要的细胞生命活动，是生物体生长、发育、繁殖、遗传的基础。**

细胞分裂不是简单地一个分为两个。试想一下，在受精卵发育为个体的过程中，如果细胞分裂只是简单地一分为二，细胞中的遗传物质不是越分越少吗？细胞分裂通过怎样的机制保证子细胞的遗传物质与亲代细胞的相同呢？原来，细胞在分裂之前，必须进行一定的物质准备，特别是遗传物质要进行复制。细胞增殖包括物质准备和细胞分裂两个相连续的过程，"物质准备—分裂—物质准备—再分裂……"可见细胞增殖具有周期性。

细胞周期

连续分裂的细胞，从一次分裂完成时开始，到下一次分裂完成时为止，为一个细胞周期（cell cycle）。一个细胞周期包括两个阶段：分裂间期和分裂期。

从细胞一次分裂结束到下一次分裂之前，是分裂间期（interphase）。细胞周期的大部分时间处于分裂间期（表6-1），占细胞周期的90%~95%。分裂间期为分裂期进行活跃的物质准备，完成DNA分子的复制和有关蛋白质的合成，同时细胞有适度的生长。

▼ 表6-1　不同细胞的细胞周期持续时间/h

细胞类型	分裂间期	分裂期	细胞周期
蚕豆根尖分生区细胞	15.3	2.0	17.3
小鼠十二指肠上皮细胞	13.5	1.8	15.3
人的肝细胞	21	1	22
人的宫颈癌细胞	20.5	1.5	22

在分裂间期结束之后，细胞就进入分裂期（mitotic phase），开始进行细胞分裂。对于真核生物来说，有丝分裂（mitosis）是其进行细胞分裂的主要方式，分裂结束后，形成的子细胞又可以进入分裂间期（图6-1）。

有丝分裂

细胞进入分裂期后，在分裂间期复制成的DNA如何平均分配到两个子细胞中呢？在真核细胞内，这主要是通过有丝分裂来完成的。有丝分裂是一个连续的过程，人们根据染色体的行为，把它分为四个时期：前期、中期、后期、末期。

下面以高等植物细胞为例，了解有丝分裂的基本过程（图6-2）。

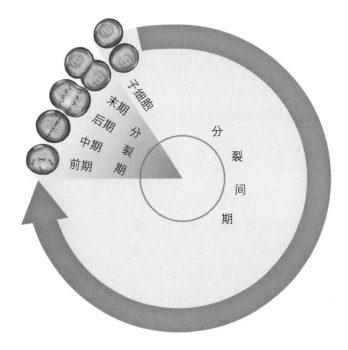

▲ 图6-1　细胞周期（以进行有丝分裂的细胞为例）

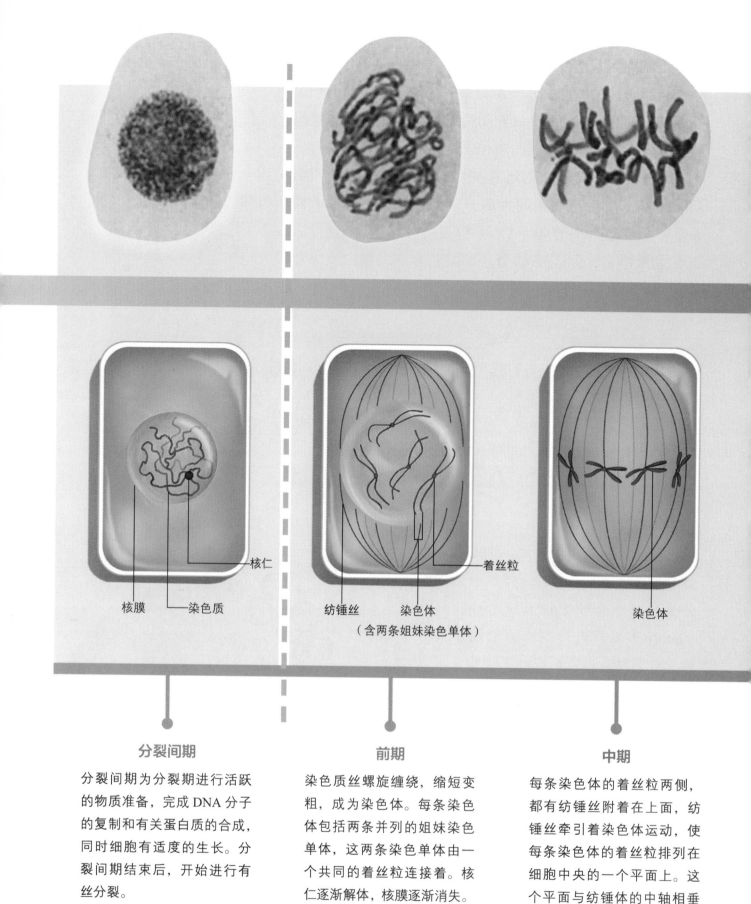

分裂间期

分裂间期为分裂期进行活跃的物质准备，完成 DNA 分子的复制和有关蛋白质的合成，同时细胞有适度的生长。分裂间期结束后，开始进行有丝分裂。

前期

染色质丝螺旋缠绕，缩短变粗，成为染色体。每条染色体包括两条并列的姐妹染色单体，这两条染色单体由一个共同的着丝粒连接着。核仁逐渐解体，核膜逐渐消失。从细胞的两极发出纺锤丝，形成一个梭形的纺锤体。

中期

每条染色体的着丝粒两侧，都有纺锤丝附着在上面，纺锤丝牵引着染色体运动，使每条染色体的着丝粒排列在细胞中央的一个平面上。这个平面与纺锤体的中轴相垂直，类似于地球上赤道的位置，称为赤道板。

▲ 图 6-2　植物细胞有丝分裂的过程（上图为洋葱根尖细胞有丝分裂显微照片，放大 500 倍；下图为模式图）

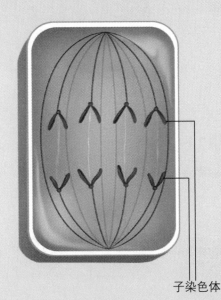 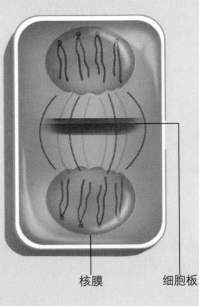 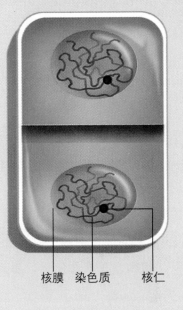

子染色体　　　　　核膜　　　细胞板　　　　核膜　染色质　核仁

后期

每个着丝粒分裂成两个，姐妹染色单体分开，成为两条染色体，由纺锤丝牵引着分别向细胞的两极移动，结果是细胞的两极各有一套染色体。这两套染色体的形态和数目完全相同，每一套染色体与分裂前亲代细胞中的染色体的形态和数目也相同。

末期

当这两套染色体分别到达细胞的两极以后，每条染色体逐渐变成细长而盘曲的染色质丝。同时，纺锤丝逐渐消失，出现了新的核膜和核仁，形成两个新的细胞核。这时候，在赤道板的位置出现一个细胞板，细胞板逐渐扩展，形成新的细胞壁。

子细胞

一个细胞分裂成为两个子细胞，每个子细胞中含有的染色体数目与亲代细胞的相等。分裂后形成的子细胞若继续分裂，就进入下一个细胞周期的分裂间期状态。

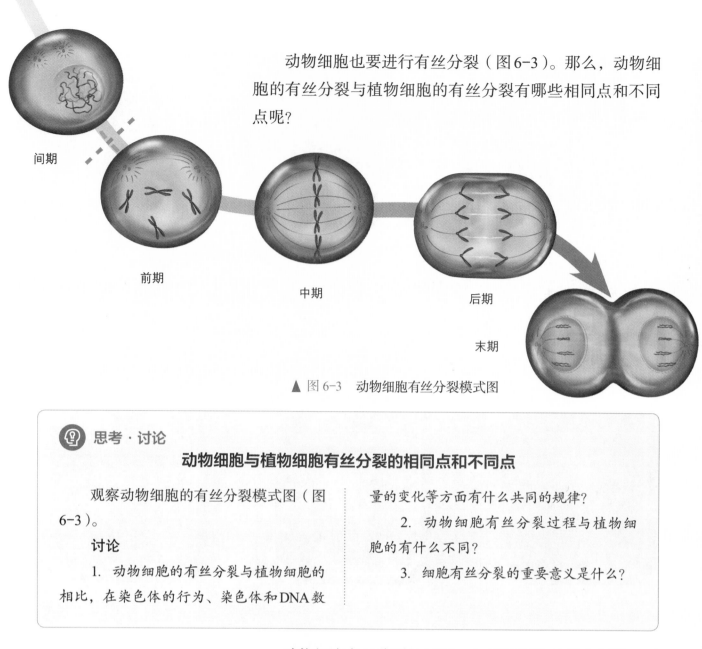

间期

前期

中期

后期

末期

▲ 图 6-3　动物细胞有丝分裂模式图

💡 **思考·讨论**

动物细胞与植物细胞有丝分裂的相同点和不同点

观察动物细胞的有丝分裂模式图（图 6-3）。

讨论

1. 动物细胞的有丝分裂与植物细胞的相比，在染色体的行为、染色体和DNA数量的变化等方面有什么共同的规律？

2. 动物细胞有丝分裂过程与植物细胞的有什么不同？

3. 细胞有丝分裂的重要意义是什么？

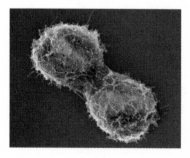

▲ 图 6-4　动物细胞有丝分裂
电镜照片

动物细胞有丝分裂的过程，与植物细胞的基本相同。不同的特点是：第一，动物细胞有一对中心粒构成的中心体，中心粒在间期倍增，成为两组。进入分裂期后，两组中心粒分别移向细胞两极。在这两组中心粒的周围，发出大量放射状的星射线，两组中心粒之间的星射线形成了纺锤体。第二，动物细胞分裂的末期不形成细胞板，而是细胞膜从细胞的中部向内凹陷，最后把细胞缢裂成两部分，每部分都含有一个细胞核。这样，一个细胞就分裂成了两个子细胞（图6-4）。

细胞有丝分裂的重要意义，是**将亲代细胞的染色体经过复制（关键是DNA的复制）之后，精确地平均分配到两个子细胞中。由于染色体上有遗传物质DNA，因而在细胞的亲代和子代之间保持了遗传的稳定性。**可见，细胞的有丝分裂对于生物的遗传有重要意义。

正常细胞的分裂是在机体的精确调控之下进行的，在人的一生中，体细胞一般能够分裂50~60次。但是，有的细胞受到致癌因子的作用，细胞中遗传物质发生变化，就变成不受机体控制的、连续进行分裂的恶性增殖细胞，这种细胞就是癌细胞。

无丝分裂　细胞无丝分裂的过程比较简单，一般是细胞核先延长，核的中部向内凹陷，缢裂成为两个细胞核；接着，整个细胞从中部缢裂成两部分，形成两个子细胞。因为在分裂过程中没有出现纺锤丝和染色体的变化，所以叫作无丝分裂，如蛙的红细胞的无丝分裂。

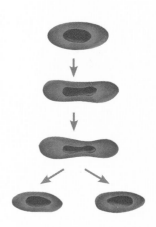

蛙的红细胞无丝分裂示意图

🔵 **思维训练**

运用模型作解释

细胞不能无限长大的原因有很多。细胞的大小影响物质运输的效率，可以作为一种解释。

1. 现有3个大小不同的细胞模型，如下图所示，计算每个"细胞"的表面积与体积的比值。

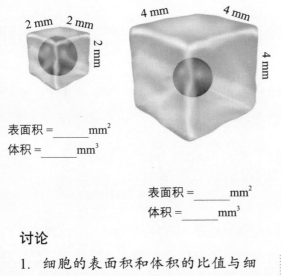

表面积 =_____mm²
体积 =_____mm³

表面积 =_____mm²
体积 =_____mm³

2. 物质在细胞中的扩散速率是一定的，假定某种物质如葡萄糖通过"细胞膜"后，向内扩散的深度为0.5 mm。计算这3个"细胞"中物质扩散的体积与整个"细胞"体积的比值。

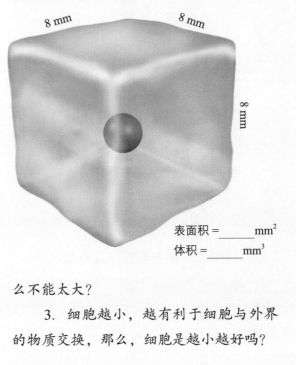

表面积 =_____mm²
体积 =_____mm³

讨论

1. 细胞的表面积和体积的比值与细胞的大小有什么关系？

2. 从物质运输的效率看，细胞为什么不能太大？

3. 细胞越小，越有利于细胞与外界的物质交换，那么，细胞是越小越好吗？

观察根尖分生区组织细胞的有丝分裂

在高等植物体内，有丝分裂常见于根尖、芽尖等分生区细胞。由于各个细胞的分裂是独立进行的，因此在同一分生组织中可以看到处于不同分裂时期的细胞。通过在高倍显微镜下观察各个时期细胞内染色体的存在状态，就可以判断这些细胞分别处于有丝分裂的哪个时期。染色体容易被碱性染料（如甲紫溶液，旧称龙胆紫溶液）着色。

目的要求

1. 制作洋葱根尖细胞有丝分裂装片。

2. 观察植物细胞有丝分裂的过程，识别有丝分裂的不同时期，比较细胞周期中不同时期的时间长短。

3. 绘制植物细胞有丝分裂简图。

材料用具

洋葱（可用葱、蒜代替）。

显微镜，载玻片，盖玻片，玻璃皿，剪刀，镊子，滴管。

质量浓度为 0.01 g/mL 或 0.02 g/mL 的甲紫溶液（将甲紫溶解在质量分数为 2% 的醋酸溶液中配制而成）或醋酸洋红液，质量分数为 15% 的盐酸，体积分数为 95% 的酒精，洋葱根尖细胞有丝分裂固定装片。

方法步骤

一、洋葱根尖的培养

在上实验课之前的 3~4 d，取洋葱一个，放在广口瓶上。瓶内装满清水，让洋葱的底部接触到瓶内的水面。把这个装置放在温暖的地方培养。待根长约 5 cm 时，取生长健壮的根尖制成临时装片观察。

二、装片的制作

制片流程为：解离→漂洗→染色→制片。

过程	方法	时间	目的
解离	上午 10 时至下午 2 时（洋葱根尖分生区有较多的细胞处于分裂期，这会因洋葱品种、室温等的差异而有所不同），剪取洋葱根尖 2~3 mm，立即放入盛有盐酸和酒精混合液（1:1）的玻璃皿中，在室温下解离。	3~5 min	用药液使组织中的细胞相互分离开来。
漂洗	待根尖软化后，用镊子取出，放入盛有清水的玻璃皿中漂洗。	约 10 min	洗去药液，防止解离过度。
染色	把根尖放入盛有质量浓度为 0.01 g/mL 或 0.02 g/mL 的甲紫溶液（或醋酸洋红液）的玻璃皿中染色。	3~5 min	甲紫溶液或醋酸洋红液能使染色体着色。
制片	用镊子将这段根尖取出来，放在载玻片上，加一滴清水，并用镊子尖把根尖弄碎，盖上盖玻片。然后，用拇指轻轻地按压盖玻片。		使细胞分散开来，有利于观察。

三、洋葱根尖细胞有丝分裂的观察

1. 把制成的装片先放在低倍镜下观察，扫视整个装片，找到分生区细胞：细胞呈正方形，排列紧密。再换成高倍镜仔细观察，首先找出分裂中期的细胞，然后再找前期、后期、末期的细胞，注意观察各时期细胞内染色体形态和分布的特点。最后观察分裂间期的细胞。

2. 如果自制装片的效果不太理想，可以观察洋葱根尖有丝分裂固定装片。

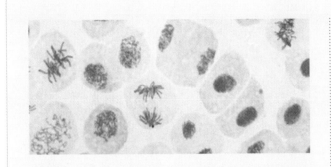

記 录 表

细胞周期		样本1	样本2	总数	每一时期的细胞数/计数细胞的总数
分裂间期					
分裂期	前期				
	中期				
	后期				
	末期				
计数细胞的总数					

3. 调节显微镜的放大倍数，使你能够在视野中同时看到约50个细胞，仔细统计视野中处于各时期的细胞数，记录在记录表"样本1"中。把视野移动到分生区一个新的区域再统计，然后记录在记录表"样本2"中。对数据进行整理，填入表中。

四、绘图

绘出植物细胞有丝分裂中期简图。

五、有条件的学校，可以观察马蛔虫受精卵的有丝分裂固定装片。

结论

根据观察结果，用自己的语言描述细胞周期各个时期的特点。

讨论

1. 在你的观察结果中，处于哪一时期的细胞最多？为什么？

2. 如何比较细胞周期中不同时期的时间长短？你可以数一数视野中5个不同时期的细胞数目。统计全班的结果，求每个时期细胞数目的平均值。（提示：洋葱根尖细胞染色体数目为8对，一个细胞周期大约需要12 h。）

练习与应用

一、概念检测

1. 洋葱根尖细胞中有16条染色体。判断下列相关表述是否正确。

（1）在显微镜下观察洋葱根尖细胞时，发现处于分裂期的细胞数量较多。　　（　）

（2）在细胞周期的分裂间期中，细胞要进行染色体复制，复制后染色体为32条。（　）

2. 在下面的坐标图中画出进行有丝分裂细胞的细胞周期中染色体和DNA的数量变化曲线。

二、拓展应用

1. 在细胞周期中，分裂间期持续的时间明显比分裂期长，你能对此作出合理的解释吗？

2. 细胞周期是靠细胞内部精确的调控实现的。如果这种调控出现异常，就可能导致细胞的癌变。因此，研究细胞周期的调控机制对防治癌症有重要意义。感兴趣的同学可以收集这方面的资料，了解其新进展。

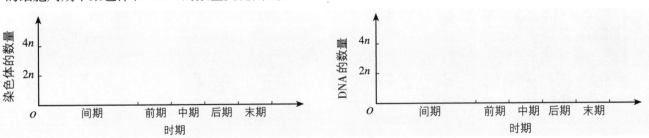

第2节
细胞的分化

💬 问题探讨

在人体内，红细胞的寿命为120 d左右，白细胞的寿命为5~7 d。这些血细胞都是失去分裂能力的细胞。

白血病患者的血液中出现大量的异常白细胞，而正常的血细胞明显减少。通过骨髓移植可以有效地治疗白血病。

讨论

1. 为什么健康人的血细胞数量不会随着血细胞的死亡而减少？
2. 骨髓与血细胞的形成有什么关系？

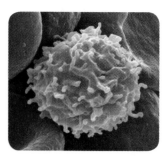

正常白细胞（放大2 000倍）

◎ **本节聚焦**

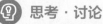

● 什么是细胞分化？
● 细胞分化的生物学意义是什么？
● 怎样理解细胞的全能性？

多细胞生物体从小长大，不仅有细胞数量的增加，还有细胞在结构和功能上的分化。即使在成熟的个体中，仍有一些细胞具有产生不同种类的新细胞的能力。

细胞分化及其意义

在胚胎发育的早期，各个细胞彼此相似。通过细胞的有丝分裂，细胞的数量越来越多。与此同时，这些细胞又逐渐向不同的方向变化。

💡 **思考·讨论**

比较构成人体组织的细胞

构成人体的器官有四种组织，分别是上皮组织、肌肉组织、结缔组织和神经组织，

这些组织又是由一些相似的细胞所构成，下图为构成这些组织的一些细胞。

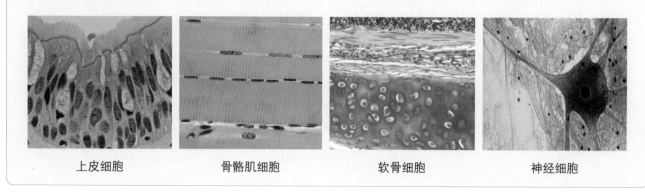

上皮细胞　　　　骨骼肌细胞　　　　软骨细胞　　　　神经细胞

与动物一样，同一个植物体中也存在各不相同的细胞。例如，叶肉细胞的细胞质中有大量的叶绿体，能够进行光合作用；表皮细胞的细胞质中没有叶绿体，但在细胞壁上形成明显的角质层，具有保护功能；储藏细胞没有叶绿体，也没有角质层，细胞中储藏着许多营养物质（图6-5）。追根溯源，同一植物体的这些细胞也都来自一群彼此相似的早期胚细胞。

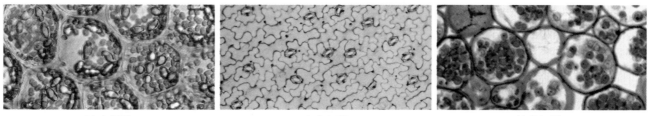

叶肉细胞　　　　　　　　　表皮细胞　　　　　　　　　储藏细胞

▲ 图 6-5　植物体的不同细胞

在个体发育中，由一个或一种细胞增殖产生的后代，在形态、结构和生理功能上发生稳定性差异的过程，叫作细胞分化（cell differentiation）。细胞分化是一种持久性的变化，一般来说，分化的细胞将一直保持分化后的状态，直到死亡。

细胞分化是生物界普遍存在的生命现象，它是生物个体发育的基础。多细胞生物体在生长发育过程中，如果仅有细胞的增殖，而没有细胞的分化，就不可能形成具有特定形态、结构和功能的组织和器官，生物体也就不可能正常发育。细胞分化使多细胞生物体中的细胞趋向专门化，有利于提高生物体各种生理功能的效率。

就一个个体来说，各种细胞具有完全相同的遗传信息，但形态、结构和功能却有很大差异，这是怎么回事呢？原来，**这是细胞中的基因选择性表达的结果，即在个体发育过程中，不同种类的细胞中遗传信息的表达情况不同**。例如，在红细胞中，与血红蛋白合成有关的基因处于活动状态，与抗体合成有关的基因则处于关闭状态；在B细胞（一种免疫细胞）中则相反。

想象空间

想一想，现代社会如果没有职业分工，社会的运转状况会是怎样的？你个人的生活会与现在有什么不同？

细胞的全能性

早期胚胎通过细胞分裂和分化逐渐发育，形成各种组织和器官。如果给予一定的条件，这些组织和器官中高度分化的细胞，能不能像早期胚胎那样，再分化成其他细胞呢？

思考·讨论

细胞的全能性

阅读下面的资料。

资料1 1958年，美国科学家斯图尔德（F. C. Steward）取胡萝卜韧皮部的一些细胞，放入含有植物激素、无机盐和糖类等物质的培养液中培养，结果这些细胞旺盛地分裂和生长，形成一个细胞团块，继而分化出根、茎和叶，移栽到花盆后，长成了一株新的植株。

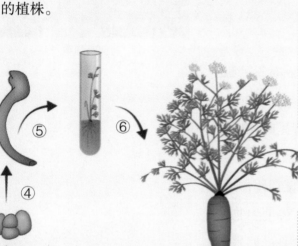

胡萝卜经组织培养产生完整植株示意图
（①～⑥表示操作顺序）

讨论

1. 从资料1中可以得出什么结论？

2. 如果将胡萝卜韧皮部细胞换成其他已高度分化的植物细胞，在适宜的条件下，这些细胞也能形成新的植株吗？

资料2 科学家曾用非洲爪蟾的蝌蚪做实验，将它的肠上皮细胞的核移植到去核的卵细胞中，结果获得了新的个体。

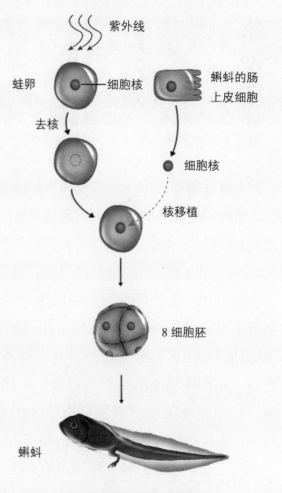

非洲爪蟾的核移植示意图

3. 将肠上皮细胞单独培养能获得新的个体吗？与资料1中的实验相比，你能从资料2中的实验得出什么结论？

实验表明，高度分化的植物细胞仍然具有发育成完整植株的能力，这就是细胞的全能性。**细胞的全能性（totipotency）是指细胞经分裂和分化后，仍具有产生完整有机体或分化成其他各种细胞的潜能和特性。**当然，那些没有分化的细胞，如受精卵、动物和人体的早期胚胎细胞、植物体的分生组织细胞也具有全能性。现在人们可以利用植物细胞的全能性，通过植物组织培养的方法，快速繁殖花卉和蔬菜等作物，培养微型观赏植株（图6-6），拯救濒危物种。想一想，与传统的杂交技术相比，植物的组织培养具有哪些优点？

同植物组织培养相比，在动物中做类似的实验要复杂和困难得多。除前面介绍的非洲爪蟾实验外，1996年诞生的克隆羊"多莉"，我国科学家于2017年获得的世界上首批体细胞克隆猴"中中"和"华华"，就是将体细胞移植到去核的卵细胞中培育成的，这说明已分化的动物体细胞的细胞核是具有全能性的。但是，到目前为止，人们还没有成功地将单个已分化的动物体细胞培养成新的个体。

动物和人体内仍保留着少数具有分裂和分化能力的细胞，这些细胞叫作干细胞（stem cell）。人的骨髓中有许多造血干细胞，它们能够通过增殖和分化，不断产生红细胞、白细胞和血小板，补充到血液中去（图6-7）。脐带血中含有大量的干细胞，可以培养并分化成人体的各种血细胞。目前，脐带血干细胞可以用于治疗血液系统疾病。

▲ 图6-6 经组织培养得到的微型观赏植株

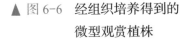

为什么已分化的动物体细胞的细胞核具有全能性？

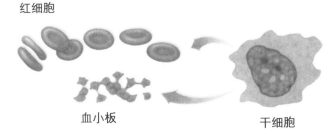
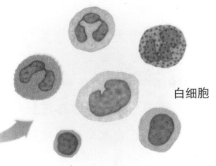

红细胞

白细胞

血小板　　　干细胞

▲ 图6-7 骨髓中造血干细胞分化出各种血细胞

△△ 与社会的联系　人体许多疾病或意外伤害，都是由组织或器官受到损伤而引起的。如果能够在体外保存和培养各种干细胞，使之形成组织或器官，不就可以对受到损伤的组织或器官进行修复或更换了吗？这正是许多科学家目前研究的课题，但任务艰巨，难度极大。有兴趣的同学可以查阅相关资料，了解干细胞研究的新进展。

一、概念检测

1. 判断下列有关细胞分化与细胞全能性关系的表述是否正确。

（1）受精卵没有分化，所以没有全能性。（　）

（2）细胞的分化程度越高，表现出来的全能性就越弱。（　）

2. 将自体骨髓干细胞植入胰腺组织后可分化为"胰岛样"细胞，以替代损伤的胰岛 B 细胞，达到治疗糖尿病的目的。下列叙述正确的是（　）

A. 骨髓干细胞与"胰岛样"细胞的基因组成不同，基因表达情况不同

B. "胰岛样"细胞与胰岛 B 细胞基因组成不同，基因表达情况相同

C. 骨髓干细胞与"胰岛样"细胞基因组成相同，基因表达情况也相同

D. 骨髓干细胞与胰岛 B 细胞的基因组成相同，基因表达情况不同

3. 在一个多细胞的生物体内，存在着各种在形态、结构和生理功能上具有差异的细胞，这是因为（　）

A. 细胞发生了变异

B. 不同细胞的基因不同

C. 某些细胞失去了全能性

D. 不同细胞中的基因选择性地表达

二、拓展应用

1. 植物组织培养的产业化发展十分迅猛，许多企业运用植物组织培养技术大规模生产蔬菜、瓜果和花卉的组培苗，获得可观的经济效益。同传统的生产方式相比，用组织培养技术生产植物幼苗有什么优势呢？你将来愿意从事这方面的工作吗？

2. 干细胞疗法让许多恶性疾病患者看到了希望，但也有不少惨痛的教训。有兴趣的同学，可以了解这方面的信息，思考科学、技术和社会的关系。

STS 科学·技术·社会

骨髓移植和中华骨髓库

白血病是一类由骨髓造血干细胞恶性增殖引起的疾病。患者血液和骨髓中的白细胞及其前体细胞出现异常增殖和分化障碍，成为白血病细胞。白血病细胞能够抑制骨髓的正常造血功能，并侵入肝、脾等器官，进而危及患者的生命。

1956 年，美国医学家唐纳尔·托马斯发现，将正常人的骨髓移植到白血病患者体内，可以治疗白血病。因为健康人的骨髓中含有造血干细胞，造血干细胞可以分化为红细胞、白细胞和血小板等血细胞。

骨髓移植不仅需要技术，更需要骨髓造血干细胞捐献者。捐献骨髓造血干细胞会不会影响自身健康呢？不少人对此心存顾虑。其实，骨髓造血干细胞具有很强的增殖能力。捐献造血干细胞可刺激骨髓加速造血，一两周内，血液中的血细胞就能恢复到原来的水平，因此，捐献骨髓造血干细胞不会影响自身健康。

由于不同人造血干细胞的 HLA（人类白细胞抗原）可能是各不相同的，因此，只有两个人的 HLA 配型相同时才能进行造血干细胞移植，否则移植后会发生排斥反应。这就需要找到与患者配型相同的造血干细胞捐献者。为了方便白血病患者更好地找到配型相同的造血干细胞捐献者，世界各国相继成立了骨髓库，我国也于 2001 年正式成立了中国造血干细胞捐献者资料库（中华骨髓库）。截至 2018 年 3 月，中华骨髓库志愿者入库数据已超过 242 万人份，捐献造血干细胞人数突破 6 000 例，许多白血病患者得到了救治。

中华骨髓库，是中华儿女爱心的见证！

第 3 节
细胞的衰老和死亡

💬 问题探讨

人到了一定的年龄就会出现白头发，并且随着年龄的增长，白头发往往会越来越多。白头发生成的直接原因是毛囊细胞合成黑色素的功能下降。

满头白发的老人

讨论

1. 老年人白头发的形成与毛囊细胞的衰老有怎样的关系？

2. 老年人体内有没有幼嫩的细胞？年轻人的体内有没有衰老的细胞？

3. 细胞衰老与个体衰老有什么关系？

生长和衰老，出生和死亡，都是生物界的正常现象，生物个体是如此，作为基本生命系统的细胞也是如此。

细胞衰老的特征

细胞衰老的过程是细胞的生理状态和化学反应发生复杂变化的过程，最终表现为细胞的形态、结构和功能发生变化。

衰老的细胞主要具有以下特征（图6-8）。

◎ **本节聚焦** ─────────

● 细胞衰老的特征是什么？细胞衰老的原因有哪些？

● 个体衰老与细胞衰老有什么关系？

● 细胞凋亡的含义是什么？怎样理解细胞凋亡的生物学意义？

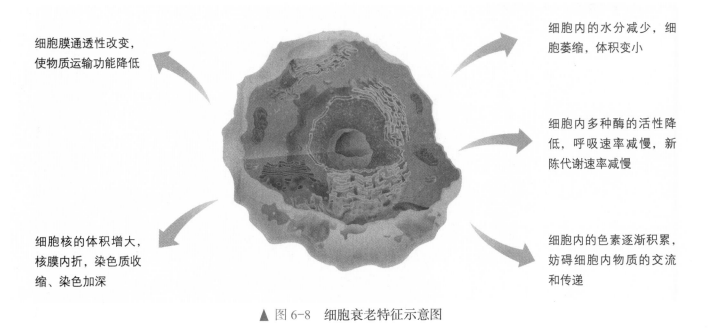

细胞膜通透性改变，使物质运输功能降低

细胞内的水分减少，细胞萎缩，体积变小

细胞内多种酶的活性降低，呼吸速率减慢，新陈代谢速率减慢

细胞核的体积增大，核膜内折，染色质收缩、染色加深

细胞内的色素逐渐积累，妨碍细胞内物质的交流和传递

▲ 图 6-8 细胞衰老特征示意图

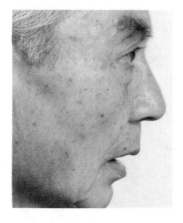

为什么老年人的皮肤上会长出"老年斑"？

▲ 图6-9 端粒的显微照片
（图中染色体为红色，黄色荧光显示染色体两端的端粒）

衰老细胞会影响个体的表现，个体的衰老则明显地体现在外貌上。例如，由于毛囊中的黑色素细胞衰老，细胞中的酪氨酸酶活性降低，黑色素合成减少，所以老年人的头发会变白。老年人的皮肤上会长出"老年斑"，这也是细胞内色素积累的结果。

细胞衰老的原因

20世纪90年代以来，关于细胞衰老机制的研究取得了重大进展。科学家提出了许多假说，目前为大家普遍接受的是自由基学说和端粒学说。

自由基学说 我们通常把异常活泼的带电分子或基团称为自由基。自由基含有未配对电子，表现出高度的反应活泼性。在生命活动中，细胞不断进行各种氧化反应，在这些反应中很容易产生自由基。此外，辐射以及有害物质入侵也会刺激细胞产生自由基。例如，水在电离辐射下便会产生自由基。

自由基产生后，即攻击和破坏细胞内各种执行正常功能的生物分子。最为严重的是，当自由基攻击生物膜的组成成分磷脂分子时，产物同样是自由基。这些新产生的自由基又会去攻击别的分子，由此引发雪崩式的反应，对生物膜损伤比较大。此外，自由基还会攻击DNA，可能引起基因突变；攻击蛋白质，使蛋白质活性下降，导致细胞衰老。

端粒学说 每条染色体的两端都有一段特殊序列的DNA—蛋白质复合体，称为端粒（图6-9）。端粒DNA序列在每次细胞分裂后会缩短一截。随着细胞分裂次数的增加，截短的部分会逐渐向内延伸。在端粒DNA序列被"截"短后，端粒内侧正常基因的DNA序列就会受到损伤，结果使细胞活动渐趋异常。

细胞衰老与个体衰老的关系

对于单细胞生物来说，细胞的衰老或死亡就是个体的衰老或死亡；但对多细胞生物来说，细胞的衰老和死亡与个体的衰老和死亡并不是一回事。多细胞生物体内的细胞总是在不断更新着，总有一部分细胞处于衰老或走向死亡的状态。然而从总体上看，个体衰老的过程也是组成个体的细胞普遍衰老的过程。下页资料中的两个实验探讨了年龄因素与细胞衰老的关系。

一般情况下，体外培养的人体某种细胞，最多分裂50次左右就停止分裂了，并且丧失了正常的功能。随着年龄的增长，细胞继续分裂的次数会逐渐减少，这说明细胞会随着分裂次数的增多而衰老。老年人骨折后愈合得慢，与成骨细胞的衰老也有关系。

细胞核是细胞生命活动的控制中心，随着细胞分裂次数的增多，或者细胞进入衰老状态，细胞核中的遗传物质会出现收缩状态，细胞中一些酶的活性会下降，从而影响细胞的生活。

细胞衰老是人体内发生的正常生命现象，正常的细胞衰老有利于机体更好地实现自我更新。例如，人体皮肤生发层细胞不断分裂产生新的细胞以替代衰老的细胞；血液中的红细胞快速地更新，可以保障机体所需氧气的供应。但是机体中众多细胞及组织的衰老，就会引起人的衰老。人衰老后就会出现免疫力下降、适应环境能力减弱等现象。

与社会的联系 随着人均寿命的延长，我国的老年人口逐渐增多。2015年，我国65岁及以上的人口占总人口的10.47%，已正式进入老龄化社会。人口老龄化势必给家庭、社会和国家以及老年人自身带来一系列问题。请与同学讨论，可能会有哪些问题，如何解决这些问题？我们在日常生活中如何行动，才能真正做到关爱老年人？

细胞的死亡

细胞死亡包括凋亡（apoptosis）和坏死（necrosis）等方式，其中凋亡是细胞死亡的一种主要方式。

英文中细胞凋亡一词，源自古希腊语，意思是花瓣或

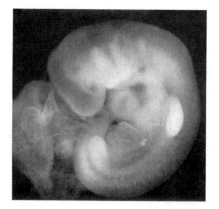

▲ 图 6-10　人的胚胎经历有尾阶段
（上图为 3 周胚胎）

树叶的脱落、凋零。选用这一名词，是强调细胞凋亡是一种自然的生理过程。

人在胚胎时期，要经历有尾的阶段，后来尾部细胞自动死亡，尾才消失（图 6-10）。蝌蚪尾的消失，也是通过细胞自动死亡实现的。观察图 6-11 可以看出，在胎儿手的发育过程中，五个手指最初是连在一起的，像一把铲子，后来随着指间的细胞自动死亡，才发育为成形的手指。像这样，**由基因所决定的细胞自动结束生命的过程，就叫细胞凋亡**。由于细胞凋亡受到严格的由遗传机制决定的程序性调控，所以它是一种程序性死亡（programmed cell death）。

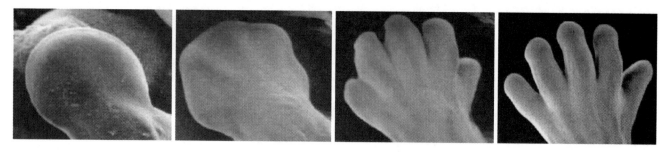

▲ 图 6-11　胎儿手的发育

在成熟的生物体中，细胞的自然更新，某些被病原体感染的细胞的清除，也是通过细胞凋亡完成的。细胞凋亡对于多细胞生物体完成正常发育，维持内部环境的稳定，以及抵御外界各种因素的干扰都起着非常关键的作用。

细胞坏死是指在种种不利因素影响下，如极端的物理、化学因素或严重的病理性刺激的情况下，由细胞正常代谢活动受损或中断引起的细胞损伤和死亡。

细胞自噬　通俗地说，细胞自噬（autophagy）就是细胞吃掉自身的结构和物质。在一定条件下，细胞会将受损或功能退化的细胞结构等，通过溶酶体降解后再利用，这就是细胞自噬。处于营养缺乏条件下的细胞，通过细胞自噬可以获得维持生存所需的物质和能量；在细胞受到损伤、微生物入侵或细胞衰老时，通过细胞自噬，可以清除受损或衰老的细胞器，以及感染的微生物和毒素，从而维持细胞内部环境的稳定。有些激烈的细胞自噬，可能诱导细胞凋亡。研究表明，人类许多疾病的发生，可能与细胞自噬发生障碍有关，因此，细胞自噬机制的研究对许多疾病的防治有重要意义。

思维训练

分析数据

人体不同细胞的寿命和分裂能力不同（见下表）。请分析表中有关数据。

细胞种类	小肠上皮细胞	平滑肌细胞（分布于内脏器官）	心肌细胞	神经细胞	白细胞
寿命	1~2 d	很长	很长	很长	5~7 d
能否分裂	能	能	不能	绝大多数不能	不能

讨论

1. 细胞的寿命与分裂能力之间有对应关系吗？比如寿命短的细胞是否一定能分裂？

2. 细胞的寿命和分裂能力与它们承担的功能有关系吗？

3. 根据以上分析，请推测皮肤表皮细胞的寿命和分裂能力。

~~~~~~~~~~~~~~~~ 练习与应用 ~~~~~~~~~~~~~~~~

一、概念检测

1. 同生物体一样，细胞也会衰老和死亡。细胞的衰老和死亡与个体的生命历程密切相关。判断下列相关表述是否正确。

（1）衰老的生物体中，细胞都处于衰老状态。（ ）

（2）端粒受损可能会导致细胞衰老。（ ）

（3）细胞凋亡使细胞自主有序地死亡，对生物体是有利的。（ ）

（4）细胞死亡是细胞凋亡的同义词。（ ）

2. 与个体的衰老一样，细胞衰老会表现出明显的特征。下列不是细胞衰老特征的是（ ）

A. 细胞内水分减少

B. 细胞代谢缓慢

C. 细胞不能继续分化

D. 细胞内色素积累较多

二、拓展应用

同样是血细胞，白细胞与红细胞的功能不同，凋亡的速率也不一样，白细胞凋亡的速率比红细胞快得多。细胞凋亡的速率与它们的功能有关系吗？请结合这一实例说明细胞凋亡的生物学意义。

 **生物科技进展**

秀丽隐杆线虫与细胞凋亡研究

秀丽隐杆线虫个体虽小，但它在细胞凋亡的研究中却发挥了极其重要的作用。作为细胞凋亡的研究材料，细菌等原核生物结构与发育过于简单，而哺乳动物又太复杂。这种线虫是多细胞真核生物，成虫总共只有959个体细胞，整个身体呈透明状，易于观察个体的整个发育过程。最为重要的是，在发育成熟的过程中，该线虫有131个细胞将通过细胞凋亡的方式被去除。

20世纪60年代初期，悉尼·布雷内（S.Brenner）正确地

秀丽隐杆线虫

选择线虫作为研究对象。这一选择使得基因分析能够与细胞的分裂、分化以及器官的发育联系起来，并且能够通过显微镜追踪这一系列过程。罗伯特·霍维茨（H.R.Horvitz）发现了线虫中控制细胞凋亡的关键基因，并描绘出了这些基因的特征。他揭示了这些基因怎样在细胞凋亡过程中相互作用，并且证实了相应的基因也存在于人体中。约翰·苏尔斯顿（J.E.Sulston）则描述了线虫发育过程中细胞分裂和分化的具体过程。他还确认了在细胞凋亡过程中发挥控制作用的基因的变化。他们发现的这种由特定基因调控，通过特定程序诱导的细胞死亡，称为细胞凋亡。

这3位科学家为研究器官发育和细胞凋亡过程中的基因调控作出了重大贡献，为此，他们3人分享了2002年诺贝尔生理学或医学奖。

近些年来，在上述3位科学家工作基础上，细胞凋亡研究获得大量研究结果。在多细胞生物发育过程中，特别是哺乳动物，会有很多细胞选择性地被消除以形成组织和器官，或者以维护机体正常的生长发育等。目前在哺乳动物中已发现多种导致细胞凋亡的因素以及细胞凋亡相关基因，同时已揭示出细胞凋亡通路中多种因子的功能与相互作用。细胞凋亡的研究已成为生物学领域的研究热点。

🧑 与生物学有关的职业

病理科医师

职业描述　内镜、影像学等医学诊断技术的发展，给医生确定病人的病情提供了极大的帮助，但肿瘤等重大疾病的最终确诊，在很大程度上还依赖于病理诊断。病理科医师就是进行病理诊断的医生，他们主要通过在显微镜下观察病人病变的组织标本、切片或涂片，根据病变组织的细胞形态和结构，结合其他辅助手段，最终作出精确的病理诊断。

就业单位　医院的病理科。

主要工作　获取临床资料；检查活体组织标本、手术切除标本或细胞学标本；作出病理诊断或提供病理学依据；参加临床会诊，为临床医师提供病理咨询，等等。

学历要求　医学院校大学本科及以上学历。

必备素质　具备相关医学专业知识；深入了解各种组织细胞的形态学特征，如各种肿瘤细胞的形态学特征；具有严谨、细致的工作态度、敏锐的观察能力和综合分析问题的能力。

职业乐趣　病理科医师的工作看似枯燥，又默默无闻，但是责任重大，意义非凡。医生能否对肿瘤等疾病作出准确的诊断，在

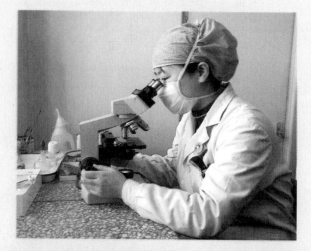

很大程度上取决于病理医师的诊断结果是否准确。尽管病理科医师不直接面对患者，但他们同样是受人尊敬的白衣天使。

本章小结

理解概念

● 生物会经历出生、生长、成熟、繁殖、衰老直至最后死亡的生命历程，细胞也一样。

● 细胞通过分裂进行增殖。细胞分裂具有周期性。一个细胞周期包括分裂间期和分裂期。分裂间期进行 DNA 复制和有关蛋白质的合成。分裂期进行细胞分裂。

● 有丝分裂可以分为前期、中期、后期和末期。有丝分裂最重要的变化是，在纺锤体作用下将亲代细胞复制的染色体平均分配到两个子细胞中，从而保持了细胞在遗传上的稳定性。

● 受精卵分裂形成的众多细胞，经过细胞分化具有不同的形态、结构和功能，进而形成组织和器官。高度分化的植物细胞仍然具有全能性，已分化的动物细胞的细胞核具有全能性。

● 细胞衰老的过程是细胞的生理状态和化学反应发生复杂变化的过程，最终反映在细胞的形态、结构和功能上发生了变化。个体衰老与细胞衰老有密切关系。

● 细胞凋亡是由基因决定的细胞自动结束生命的过程，与细胞坏死不同。新细胞的产生和一些细胞的凋亡同时存在于多细胞生物体中。

发展素养

通过本章的学习，应在以下几方面得到发展。

● 能使用高倍显微镜观察根尖分生区组织细胞的有丝分裂，并运用其中的操作技能对其他适宜材料进行观察。

● 关注细胞的增殖、分化、衰老和死亡等的研究，阐明这些研究成果对于增进人类健康的重要意义。

● 基于对细胞通过有丝分裂维持染色体数目稳定的理解，认同生命过程的精致和奇妙，尝试以审美的视角举例阐释生命过程。

● 基于对细胞分化形成的不同组织细胞之间的分工合作、细胞凋亡对个体有积极意义的理解，类比阐释个人与集体、个人与社会的关系，认同合作与奉献。

● 关注我国已经步入老龄化社会的现状，特别关爱老年人。

复习与提高

一、选择题

1. 真核细胞的增殖主要是通过有丝分裂来进行的。下列关于有丝分裂的重要性的说法，不正确的是 （ ）

　A. 产生新细胞，使生物体生长

　B. 产生新细胞，替换死亡的细胞

　C. 是细胞增殖的唯一方式

　D. 维持细胞遗传的稳定性

2. 在细胞有丝分裂过程中，DNA、染色体和染色单体三者数量比是 2:1:2 的时期是 （ ）

　A. 前期和中期　　　B. 中期和后期

　C. 后期和末期　　　D. 前期和末期

3. 下列关于蛙的细胞中最容易表达出全能性的是 （ ）

　A. 神经细胞　　　　B. 肌肉细胞

　C. 受精卵细胞　　　D. 口腔上皮细胞

4. 哺乳动物红细胞的部分生命历程如下图所示，下列叙述不正确的是 （ ）

　A. 成熟红细胞在细胞呼吸过程中不产生二氧化碳

　B. 网织红细胞和成熟红细胞的分化程度各不相同

　C. 造血干细胞与幼红细胞中基因的执行情况不同

　D. 成熟红细胞衰老后控制其凋亡的基因开始表达

5. 衰老细胞在生理功能上会发生明显变化，下列有关衰老细胞特征的叙述，不正确的是 （ ）

　A. 新陈代谢速率加快

　B. 有些酶的活性降低

　C. 呼吸速率减慢

　D. 细胞膜的物质运输功能降低

二、非选择题

1. 科学家用含 ^{32}P 的磷酸盐作为标记物浸泡蚕豆幼苗，追踪蚕豆根尖细胞分裂情况，得到蚕豆根尖分生区细胞连续分裂数据如下。

分裂		分裂		分裂	
0　2		19.3　21.3		38.6　40.6　h	

（1）细胞分裂具有周期性，请在数轴上画出一个细胞周期。

（2）蚕豆根尖细胞分裂时，细胞周期的时间为_____，分裂间期的时间为_____，分裂期的时间为_____。

2. 鸡爪与鸭掌的最大不同在于，鸡爪的趾骨间没有蹼状结构，但在胚胎发育形成趾的时期，这两种动物的趾间都有蹼状结构。为了探究蹼状结构的形成和消失是如何进行的，科学家进行了如下实验：①将鸭胚胎中预定形成鸭掌部分的细胞移植到鸡胚胎的相应部位，结果鸡爪长成了鸭掌；②将鸡胚胎中预定形成鸡爪部分的细胞移植到鸭胚胎的相应部位，结果鸭掌长成了鸡爪。

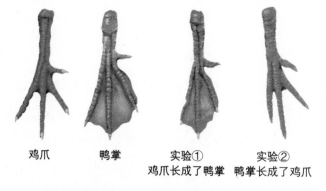

鸡爪　　鸭掌　　实验①　　　实验②
　　　　　　　鸡爪长成了鸭掌　鸭掌长成了鸡爪

依据实验回答下列问题。

（1）如何判断鸡爪胚胎发育时期蹼的消亡是细胞凋亡，而不是细胞坏死造成的结果？

（2）上述实验说明细胞凋亡具有什么特点？

（3）依据鸡爪和鸭掌的结构及功能特点，说明细胞凋亡对于个体发育的重要意义。

3. 回顾本章章首页的小诗，结合本学期生物课所学内容，写一篇文章谈谈你对生命历程的感悟，题目自拟，文体、字数不限。

附录
生物学实验室的基本安全规则

安全工作，人人有责。确保实验室不发生安全事故，不仅是教师和实验室管理员的责任，也是每一位上实验课的学生的责任。与化学实验室相似，生物学实验室也存在如使用易燃、易爆化学品以及用水、用电、用火等安全问题。除此之外，生物学实验室还可能存在接触有害生物、被有害生物感染等安全问题。为了确保实验室内所有人员的安全与健康，请遵守以下基本安全规则。

• 严禁在实验室吃喝任何东西，以免误食和吸入有毒物质。

• 不要穿拖鞋进实验室，以避免溅落的腐蚀性药物等对皮肤造成伤害。

• 在使用实验室里的仪器时，应先掌握正确的操作方法，当不清楚或不知道时，应先阅读说明书或请教老师，掌握使用方法后再使用，否则很可能损坏仪器设备或引发安全事故。

• 熟悉下图中的各类警告标志，并与其他同学讨论，在使用标有下列警告标志的化学药品时，应该注意哪些安全问题。

易爆　　　　放射性　　　　有毒　　　　氧化

腐蚀　　　有害或具刺激性　　　易燃　　　生物危害

• 在进行有潜在安全隐患的实验操作时，必须穿上实验服，戴上防护手套，有时还需要戴上口罩和防护镜。使用危险化学药品一般要在通风橱中操作。操作时要考虑周密，操作要认真细致，尽可能避免事故发生。

• 在处理生物材料时，如发生皮肤破损等事故，应及时报告老师或实验室管理员，进行消毒处理，并尽快到医院就诊，以防止发生严重的感染。

• 在处理微生物材料时，要严格遵守无菌操作的规程。微生物样品要在火焰附近操作，与操作者保持一定的距离。有条件的学校应在超净工作台内完成相关操作。实验后一定要认真洗手，微生物实验材料在丢弃前一定要进行灭菌处理，以免污染环境。

• 未经允许，不要将实验室内的器材、药品或生物材料等带出实验室。

• 了解玻璃器皿的安全使用方法，使用时要小心。

• 了解电器的安全使用方法并严格遵守。

• 注意用火安全，不要用燃着的酒精灯去点燃另一盏酒精灯。掌握火灾应急处理常识，了解安全出口的位置，知道怎样关闭电源和报警。